POULETS GRILLÉS

Figure du magazine *Cosmopolitan*, Sophie Hénaff est responsable de la rubrique humoristique « la Cosmoliste ». Elle a fait ses armes dans un café-théâtre lyonnais (L'Accessoire) avant d'ouvrir avec une amie un « bar à cartes et jeux de sociétés », le Coincoinche, puis, finalement, de se lancer dans le journalisme. *Poulets grillés*, son premier roman, a reçu en 2015 le prix Polar en série le Prix du meilleur polar francophone, et sera prochainement adapté à la télévision.

SOPHIE HÉNAFF

Poulets grillés

ROMAN

ALBIN MICHEL

ISBN : 978-2-253-09524-8 – 1re publication LGF

À ma toute petite meute,
à mes parents aussi.

1

Paris, 9 août 2012

Debout devant la fenêtre de sa cuisine, Anne Capestan attendait l'aube. D'une gorgée, elle vida la tasse en porcelaine et la posa sur la toile cirée en vichy vert. Elle venait de boire son dernier café de flic. Peut-être.

La très brillante commissaire Capestan, étoile de sa génération, championne toutes catégories des ascensions fulgurantes, avait tiré une balle de trop. Depuis, elle avait été traduite devant le conseil de discipline, avait écopé de divers blâmes et de six mois de suspension administrative. Puis silence radio, jusqu'au coup de téléphone de Buron. Son mentor, devenu patron du 36, était enfin sorti de sa réserve. Capestan était convoquée. Un 9 août. C'était bien dans les manières de l'homme. Une façon subtile de signifier qu'elle n'était pas en vacances, mais inemployée. Elle ressortirait de cet entretien flic ou virée, à Paris ou en province, mais au moins ressortirait-elle fixée. Tout valait mieux que ce bain entre deux eaux, cette espèce de flou qui coupe la marche en avant. La commissaire rinça sa tasse dans l'évier, se promettant de la charger plus tard dans le lave-vaisselle. Il était temps d'y aller.

Elle traversa le salon où, comme souvent, résonnaient Brassens et ses pom-pom de poète. L'appartement était grand et confortable. Capestan ne lésinait ni sur les plaids ni sur les éclairages indirects. Le chat, bienheureux et ronflant, semblait approuver ses choix. Mais des traces de vide ponctuaient ce décor chaleureux, comme des plaques de verglas sur une pelouse de printemps. Au lendemain de sa suspension, Capestan avait vu son époux partir et emporter avec lui la moitié des meubles de l'appartement. C'était un de ces instants où la vie vous colle une bonne claque sur le museau. Mais Capestan n'abusait pas de l'autoapitoiement, elle n'avait pas volé ce qui lui arrivait.

Un aspirateur, une télé, un canapé et un lit : moins de trois jours plus tard, elle avait remplacé l'essentiel. Pourtant, des ronds sur la moquette continuaient d'indiquer l'emplacement des fauteuils de sa vie d'avant. Sur les papiers peints, des traces plus claires témoignaient : ici, ombre de tableau, fantôme de bibliothèque, commode regrettée. Capestan aurait préféré déménager, mais sa situation professionnelle, entre deux chaises, la coinçait. Avec ce rendez-vous, elle saurait enfin dans quelle vie se lancer.

Elle ôta l'élastique qu'elle gardait à son poignet et attacha ses cheveux. Comme chaque été, ils avaient blondi, mais bientôt un châtain plus soutenu reprendrait ses droits. Capestan défroissa sa robe d'un geste machinal et enfila ses sandales sans que le chat ne lève le museau de son accoudoir. Seul le pavillon de la féline oreille s'orienta vers l'entrée pour suivre les manœuvres de départ. Capestan cala l'anse de son grand sac en cuir sur son épaule et y glissa *Le Bûcher des vanités*, un roman de Tom Wolfe que Buron lui avait prêté. Neuf cent vingt pages. « Ça vous occupera en attendant que je vous appelle », avait-il assuré. En attendant. Elle avait largement eu le loisir d'enchaîner sur les treize tomes de *Fortune de France* et l'intégrale de Marie-Ange Guillaume. Sans compter les piles de polars. Buron et ses phrases sans date ni promesses. Capestan referma la porte, donna deux tours de clé et emprunta les escaliers.

La rue de la Verrerie était déserte sous le soleil encore doux. Au mois d'août, en cette heure très matinale, Paris semblait livré à un état de nature, dégagé de ses habitants, comme rescapé d'une bombe à neutrons. Au loin, le gyrophare d'une camionnette de nettoyage jetait des éclats orange. Capestan longea les vitrines du BHV, avant de couper la place de l'Hôtel-de-Ville. Elle traversa la Seine puis l'île de la Cité pour arriver au pied du 36, quai des Orfèvres.

Elle passa sous l'immense porte cochère et prit à droite dans la cour pavée. Elle fixa un instant le panneau bleu délavé : « Escalier A, Direction de la Police judiciaire ». Avec la prise de ses nouvelles fonctions, Buron avait investi un bureau du troisième, l'étage feutré des décisionnaires, le couloir où même les cowboys ne baladent plus leur flingue.

Capestan poussa la porte à double battant. Son estomac se serra à l'idée d'une révocation. Elle avait toujours été flic et refusait d'envisager toute autre option. À trente-sept ans, on ne reprend pas ses études. Ces six mois d'inactivité avaient déjà pesé. Elle avait beaucoup marché. Elle avait suivi en surface toutes les lignes du métro parisien, méthodiquement, de la 1 à la 14, de terminus à terminus. Elle espérait être réintégrée avant d'attaquer les trains de banlieue. Elle s'imaginait parfois obligée de courir le long des voies de TGV pour se fixer un but.

Devant la plaque de cuivre flambant neuve gravée au nom du Directeur régional de la Police judiciaire, elle se redressa et frappa trois coups. La voix grave et timbrée de Buron la pria d'entrer.

2

Buron s'était levé pour l'accueillir. Le cheveu et la barbe étaient gris, coupés à la militaire, et entouraient un visage de basset artésien. Il promenait en permanence un regard affable, presque triste, sur le monde alentour. Il dépassait Capestan, pourtant déjà grande, d'une bonne tête. En largeur, il la dépassait d'un bon ventre. Malgré cette allure bonhomme, Buron dégageait une autorité avec laquelle personne ne plaisantait. Capestan lui sourit et tendit le livre de Wolfe. Elle avait écorné la couverture et une moue de contrariété passa sur le visage du directeur. Sans comprendre qu'on attache une telle importance aux objets, Capestan lui dit qu'elle était désolée. Il n'en pensait pas un traître mot, mais répondit que ce n'était rien, voyons.

Derrière Buron, installés dans de larges fauteuils, elle reconnut Fomenko, ancien patron des Stups, devenu directeur régional adjoint, et Valincourt, passé de la direction de la Crim à celle des Brigades centrales. Capestan se demanda ce que ces pointures attendaient là. Au vu de ses derniers états de service, la perspective d'un recrutement paraissait peu probable.

Le visage aimable, elle s'installa face au triumvirat des seigneurs de la police et attendit le verdict.

— J'ai une bonne nouvelle, lança Buron. L'enquête de l'IGS est bouclée, votre mise à pied prend fin, vous êtes réintégrée. L'incident ne sera pas porté à votre dossier.

Un immense soulagement libéra Capestan, elle sentit la joie qui commençait à courir dans ses veines et lui enjoignait de sortir pour fêter ça. Elle s'efforça néanmoins de rester concentrée. Buron reprenait :

— Votre nouvelle affectation prend effet en septembre, on vous confie une brigade.

Pour le coup, Capestan tiqua. Qu'on la réintègre était inattendu, qu'on lui confie des responsabilités devenait suspect. Un détail dans le discours de Buron sonnait comme le craquement des phalanges précédant la gifle.

— À moi ? Une brigade ?

— Il s'agit d'un programme particulier, expliqua Buron, l'œil vague. Dans le cadre de la restructuration de la police visant à optimiser le rendement des différents services, une brigade annexe a été créée. Elle sera directement placée sous mon autorité et regroupera les fonctionnaires les moins orthodoxes.

Buron débitait son laïus, pendant que ses acolytes s'ennuyaient ferme. Fomenko étudiait sans passion la collection de médailles anciennes dans la vitrine de Buron. De temps en temps, il passait la main dans ses cheveux blancs, tirait sur le bas du gilet de son costume ou contemplait le bout de ses santiags. Sa chemise aux manches retroussées laissait paraître des avant-bras velus dont la puissance rappelait qu'au moindre coup de pogne, Fomenko pouvait vous décrocher les mandibules. Valincourt, lui, tripotait sa montre argentée avec l'envie manifeste de l'avancer. Il avait la silhouette sèche, les traits anguleux et le teint sombre. Son profil de chef indien semblait abriter une âme à mille réincarnations. Il ne souriait jamais et arborait en permanence cet air revêche de Sa Majesté qu'on importune. Il devait sûrement réserver son attention à des considérations plus élevées, une vie plus nette. Les simples mortels hésitaient à le déranger. Capestan décida d'abréger leurs souffrances à tous.

— Et concrètement ?

La désinvolture du ton déplut à Valincourt. Tel un oiseau de proie, il pivota brusquement sur l'axe de son cou, révélant un nez busqué et tranchant. Il interrogea Buron du regard, mais il en fallait davantage pour émouvoir le directeur. Buron consentit même à sourire en se calant au fond de son fauteuil.

— Très bien, Capestan, je vous résume la chose : on nettoie la police pour faire briller les statistiques. Les alcoolos, les brutes, les dépressifs, les flemmards et j'en passe, tout ce qui encombre nos services mais qu'on ne peut pas virer, on le rassemble dans une brigade et on l'oublie dans un coin. Sous votre commandement. En septembre.

Capestan se garda de toute réaction. Elle tourna son visage vers la fenêtre et examina un instant les reflets bleus qui jouaient sur le double vitrage. Elle poursuivit avec les fines vaguelettes de la Seine qui miroitaient sous un ciel clair, laissant son cerveau distiller l'essence du discours hiérarchique.

Un placard. Tout simplement. Très grand modèle. Une poubelle, plutôt. Une unité de répudiés, la poulaille honteuse du département, tous unis dans une benne à ordures. Et elle était la cerise sur le radeau, la chef.

— Pourquoi le commandement ?

— Vous êtes la seule au grade de commissaire, fit Buron. Il faut croire que, d'ordinaire, les pathologies se déclarent avant les concours.

Capestan aurait parié que cette brigade était une idée de Buron. Ni Valincourt ni Fomenko ne semblaient approuver le programme. L'un par mépris, l'autre par indifférence. Tous deux avaient d'autres choses à faire, cette histoire les retardait.

— Qui dans l'équipe ? demanda Capestan.

Buron hocha le menton et se pencha pour ouvrir le dernier tiroir de son bureau. Il en extirpa une chemise épaisse qu'il lâcha sur son sous-main, un maroquin en cuir vert bouteille. Rien n'était inscrit sur la couverture de la chemise. Brigade anonyme. Le directeur ouvrit le dossier et, parmi les différentes paires de lunettes alignées sous la lampe, il choisit celles à monture d'écaille. Selon qu'il souhaitait se donner l'air rassurant, moderne ou sévère, Buron variait ses bésicles. Il démarra sa lecture.

— Agent Santi, en congé maladie depuis quatre ans, capitaine Merlot, alcoolique…

— Alcoolique ? Il va y avoir du monde dans cette brigade…

Buron referma le dossier et le lui tendit.

— Je vous le laisse, vous l'étudierez tranquillement.

Elle le soupesa, il valait bien son Bottin de Paris.

— On est combien ? C'est la moitié de la police, votre « nettoyage » ?

Le directeur régional se rencogna dans son siège, et sous son poids, le cuir brun émit un grincement à briser le cœur.

— Officiellement : une quarantaine.

— C'est pas une brigade, c'est un bataillon, releva Fomenko d'un ton goguenard.

Quarante. Des flics qui avaient pris des balles, des heures de planque, des kilos de trop et des divorces au nom de la Maison, avant de venir s'échouer sur cette voie de garage. La place qu'on leur attribuait pour qu'ils renoncent enfin. Capestan compatit. Curieusement, elle ne s'incluait pas dans le lot. Buron soupira et ôta ses lunettes.

— Capestan. La plupart sont hors circuit depuis des années. Vous n'avez aucune chance de les voir, je ne parle même pas de les faire travailler. Ils n'existent plus pour la police, ce sont des noms, sans plus. Si certains passent dans les locaux, ce sera pour piquer les stylos. Ne vous faites aucune illusion.

— Des officiers ?

— Oui. Dax et Évrard sont lieutenants, Merlot et Orsini sont capitaines.

Buron marqua une pause et se concentra sur la branche des lunettes qui tournait dans ses mains.

— José Torrez aussi est lieutenant.

Torrez. Dit Scoumoune. Le porte-malheur, le chat noir. Ils avaient fini par lui trouver une affectation. Cela n'avait pas suffi de l'isoler, il fallait le pousser plus loin encore. Capestan connaissait Torrez de réputation. Toute la flicaille du pays connaissait Torrez de réputation et se signait sur son passage.

Son histoire avait commencé par un simple accident : un coéquipier blessé d'un coup de couteau au cours d'une arrestation. La routine. Le flic de remplacement pendant la convalescence avait été blessé à son tour. Les risques du métier. Le suivant avait pris une balle et trois jours de coma. Le dernier était mort, jeté du haut d'un immeuble. La culpabilité de Torrez avait été écartée chaque fois. Il ne pouvait être responsable en rien, pas même de négligence. Mais son aura était désormais plus épaisse que la poix. Il portait Malheur. Personne ne faisait plus équipe avec Torrez. Personne ne touchait Torrez et peu le regardaient encore dans les yeux. Sauf Capestan, qui se foutait des mauvais sorts.

— Je ne suis pas superstitieuse.

— Vous le deviendrez, affirma Valincourt, d'un ton sépulcral.

Fomenko acquiesça et réprima un frisson qui fit tressaillir le dragon tatoué qui grimpait le long de son cou, souvenir de ses jeunes années militaires. Aujourd'hui, Fomenko portait une large moustache blanche qui partait en éventail sous son nez, tel un papillon broussailleux. Bizarrement, la moustache ne s'accordait pas trop mal avec le dragon.

Comme chaque fois qu'était prononcé le nom de Torrez, un silence flotta quelques instants dans la pièce. Buron le rompit.

— Et enfin le commandant Louis-Baptiste Lebreton.

Cette fois, Capestan se redressa sur sa chaise.

— Celui de l'IGS ?

— Lui-même, fit Buron en écartant les mains, fataliste. Il ne vous a pas facilité les choses, je sais.

— Non. Ce n'était pas le plus souple. Et qu'est-ce qu'il fait là, le pourfendeur des nobles causes ? L'IGS ne fait pas partie de la Judiciaire.

— Une plainte déposée, des incompatibilités d'humeur, enfin une histoire de cuisine interne, IGS versus IGS, ils n'ont même plus besoin de nous.

— Mais pourquoi cette plainte ?

Ce Lebreton était un monstre d'intransigeance, mais on ne pouvait le soupçonner d'irrégularité. Le directeur inclina la tête et haussa les épaules dans un mouvement d'ignorance feinte. Les deux autres détaillèrent les moulures du plafond avec un sourire narquois et Capestan comprit qu'elle devrait s'en contenter.

— Cela dit, ajouta Valincourt avec froideur, vous n'êtes pas très bien placée pour jeter la pierre aux belliqueux.

Capestan encaissa sans broncher, elle n'était plus placée pour jeter le moindre gravier à quiconque, et le savait fort bien. Un rayon de soleil traversa la pièce, l'écho lointain d'un marteau-piqueur l'accompagna. Une nouvelle brigade. Une nouvelle équipe. Restait à connaître la mission.

— On aura des affaires à traiter ?

— Plein.

Anne Capestan sentit que Buron commençait à se faire franchement plaisir avec son histoire. C'était sa petite blague de rentrée, son hochet de prise de poste. En fait, se dit-elle, j'ai quinze ans de carrière et il me fait le coup du bizutage.

— En accord avec la préfecture, le SRPJ et les Brigades centrales, vous héritez de la totalité des enquêtes non résolues de la totalité des commissariats et brigades de la région. On a soulagé les archives de tous les cas boiteux, de toutes les affaires classées. Envoyés directement chez vous.

Buron lança un regard satisfait à ses collègues, avant de poursuivre :

— En gros, la police d'Île-de-France va approcher les 100 % de résolution d'affaires et vous les 0 %. Un seul service d'incapables dans toute la région. On circonscrit, je vous dis.

— Je vois.

— Vous recevrez les cartons d'archives au cours de l'emménagement, fit Fomenko en grattant son dragon. En septembre, quand des locaux vous auront été attribués. Le 36 est plein comme un caveau de famille, on va vous faire une petite place ailleurs.

Valincourt, le corps immobile comme toujours, la prévint :

— Si vous avez l'impression de vous en tirer à bon compte, vous avez tort. Mais dites-vous qu'au moins, on ne s'attend à aucun résultat.

Buron, d'un geste éloquent, désigna la porte. Capestan sortit. Malgré ces dernières paroles peu encourageantes, elle sourit. Désormais, elle avait un objectif, et une échéance.

Installés en terrasse au café des Deux-Palais, Valincourt et Fomenko buvaient une bière. Fomenko se servit une poignée dans la coupelle de cacahuètes et l'enfourna d'un geste décidé. Il les fit craquer sous ses dents, avant de demander :

— Comment tu la trouves, la protégée de Buron, Capestan ?

De l'index, Valincourt poussa une unique cacahuète le long de son sous-bock.

— Je ne sais pas. Jolie, je suppose.

Fomenko s'esclaffa, avant de lisser sa moustache :

— Oui, ça tu ne peux pas la rater ! Non, je voulais dire niveau pro. Franchement, cette brigade, t'en penses quoi ?

— Fumisterie, répondit Valincourt sans l'ombre d'une hésitation.

3

Paris, 3 septembre 2012

Jean, ballerines, pull fin et trench, Anne Capestan avait revêtu sa tenue de flic et serrait dans sa main les clés de son nouveau commissariat. Elle s'était fixé vingt personnes sur quarante. Si seulement un flic sur deux voyait de l'intérêt à cette brigade, alors ça valait la peine de la faire fonctionner.

Impatiente et, pour tout dire, gonflée d'espoir, Capestan déboucha au pas de course sur la place où glougloutait la fontaine des Innocents. Le vendeur d'une boutique de sportswear remontait son rideau de fer couvert de graffitis. L'odeur de friture des fast-foods s'insinuait dans l'air encore frais. Capestan se tourna vers le 3 de la rue des Innocents. Ce n'était ni un commissariat ni un hôtel de police. Juste un immeuble. Et elle n'avait pas le code. Elle soupira et entra dans le café à l'angle pour le réclamer au patron. B8498. La commissaire le convertit en Bateau-Vaucluse-Champion du monde pour le mémoriser.

Sur l'étiquette chiffonnée du trousseau de clés, un 5 tracé hâtivement indiquait l'étage. Capestan appela l'ascenseur et monta au dernier. On ne leur avait pas fait la grâce d'un rez-de-chaussée officiel avec vitrine, néons et chalands qui passent. On les avait planqués en hauteur, sans aucune plaque sur rue ni interphone. La porte du palier s'ouvrit sur un grand appartement vétuste, mais lumineux. À défaut d'être honorables, les locaux avaient l'avantage d'être chaleureux.

La veille, après le passage des électriciens et employés du téléphone, des déménageurs étaient venus tout installer. Buron avait dit de ne pas s'inquiéter, la Maison s'occupait de tout, inutile de se déranger.

Depuis l'entrée, Capestan aperçut un bureau en zinc balafré de rouille. Juste en face, une table en formica vert d'eau penchait sur son pied coupé, malgré les sous-bocks qu'on avait glissés dessous. Les deux derniers bureaux consistaient en un plateau de mélaminé noir posé sur des tréteaux branlants. Tant qu'à se débarrasser des flics, autant se débarrasser des meubles. On ne pouvait pas reprocher au programme de manquer de cohérence.

Des trous de taille variée ponctuaient les parquets, les murs étaient plus tannés que des poumons de fumeur, mais la pièce était spacieuse et de grandes fenêtres donnaient sur la place, offrant une vue dégagée jusqu'à l'église Saint-Eustache, via l'ancien jardin des Halles et les grues des travaux qui ne s'achèveraient sans doute jamais.

Au détour d'un fauteuil crevé, Capestan remarqua une cheminée qui n'était pas murée et semblait fonctionnelle. Une bonne chose. La commissaire s'apprêtait à poursuivre sa visite, quand elle entendit l'ascenseur s'ouvrir. Elle jeta un œil à sa montre, huit heures pile.

Tout en frottant ses chaussures de randonnée sur le paillasson, l'homme toqua à la porte entrouverte. Ses cheveux noirs et drus obéissaient à leur organisation propre et, malgré l'heure matinale, une barbe poivre et sel piquetait déjà ses joues. Il s'avança dans le salon et se présenta, les mains dans les poches de sa canadienne.

— Bonjour. Lieutenant Torrez.

Torrez. Ainsi, c'était la poisse qui se pointait la première. Il n'avait pas l'air de vouloir sortir la main de sa poche, et Capestan se demanda si c'était par peur qu'on refuse de la serrer, ou s'il s'agissait simplement d'un rustre. Dans le doute, et pour esquiver le problème, elle décida de ne pas tendre la sienne, mais afficha un sourire chargé d'intentions pacifiques, son émail brandi comme un drapeau blanc de parlementaires.

— Bonjour lieutenant, je suis la commissaire Anne Capestan, en charge de la brigade.

— Oui. Bonjour. Où est mon bureau ? demanda-t-il comme s'il venait d'être poli.

— Où vous voulez. Premier arrivé, premier servi…

— Je peux faire le tour, alors ?

— Je vous en prie.

Elle le regarda se diriger directement vers les pièces du fond.

Torrez mesurait dans les un mètre soixante-dix, tout en muscles. En fait de chat noir, il entrait dans la catégorie puma. Dense et trapu. Avant d'atterrir là, il œuvrait au sein de la 3e BT, la Brigade territoriale du 2e district. Il connaîtrait peut-être des restaurants dans le coin. De loin, elle le vit ouvrir la dernière porte au bout du couloir, il hocha la tête et se retourna pour hausser la voix à son intention :

— Je vais prendre celui-là.

Il entra et referma derrière lui, sans autre forme de procès.

Peu importait.

Ils étaient déjà deux.

Un téléphone sonna et Capestan le chercha dans la pièce, parmi une multitude de modèles aussi peu assortis que le mobilier. Elle décrocha un appareil gris, posé à même le sol, près de la fenêtre. La voix de Buron la salua au bout du fil :

— Capestan, bonjour. J'appelle juste pour signaler que vous avez une recrue de plus. Vous la reconnaîtrez, je vous laisse la surprise.

Le directeur semblait content de lui. Au moins un que ça amusait. Après avoir raccroché, Anne échangea l'appareil gris contre une antiquité en bakélite. Elle la déposa sur le bureau en zinc qui ferait l'affaire après un coup de lingette. Capestan récupéra également une grande lampe avec un abat-jour crème et un pied en merisier éraflé qui traînait à côté de la photocopieuse, puis sortit de son sac des lingettes et une tour Eiffel dorée de quinze centimètres. Anne se l'était offerte chez un vendeur de souvenirs sur les quais, le jour de sa première affectation dans la capitale. Elle ajouta son gros agenda en cuir rouge, un stylo Bic noir, et voilà, c'était son bureau. En diagonale, entre fenêtre et cheminée. À quarante flics dans l'appartement, ils seraient un peu serrés, mais ça passerait.

Capestan se rendit dans la cuisine pour prendre un verre d'eau. La pièce, assez vaste, était équipée d'un frigo bancal, d'une vieille gazinière et d'un meuble bas en pin, du modèle réservé aux kitchenettes de chalets. Le meuble était vide, il n'y avait pas de verres. Capestan se dit qu'il n'y avait peut-être pas d'eau non plus. Elle se dirigea vers la porte vitrée qui ouvrait sur une terrasse où un lierre jaunissant grimpait le long d'une treille en plastique, fissurant les pierres de l'immeuble. Dans un coin, une imposante jarre en grès ocre abritait un tas de terreau sec, sans trace de plante. On voyait le ciel bleu et elle resta un moment à écouter Paris qui s'agitait, plus bas.

Quand elle revint dans le salon, Lebreton, l'ex-commandant de l'IGS, était arrivé et avait eu le temps de s'installer derrière le bureau en mélaminé noir. Sa haute stature pliée en quatre, il tentait d'ouvrir une des caisses de dossiers à l'aide d'un Opinel. Il procédait avec calme, à son habitude. Lebreton était imperturbable dans sa nonchalance comme dans ses opinions. Capestan gardait en mémoire la rigueur implacable de ses interrogatoires. Si la commission de discipline s'était rangée à ses conclusions, Capestan n'aurait jamais été réintégrée. Lebreton la prenait pour une brute. Elle le tenait pour un psychorigide. C'était une vraie fête de se revoir. Il leva à peine la tête :

— Bonjour commissaire, dit-il, avant de reporter son attention sur le carton.

— Bonjour commandant, répondit Capestan.

Puis un silence monumental s'abattit sur la pièce.

Ils étaient trois.

Capestan alla chercher une caisse elle aussi.

*

Munis d'une pile de cartons chacun, Capestan et Lebreton épluchaient des dossiers depuis deux bonnes heures. Des cambriolages en pagaille, des arnaques au distributeur, des vols à la roulotte ou escroqueries à la fausse qualité, ces cartons étaient des pochettes sans surprise et Capestan commençait à s'interroger ferme sur la teneur de leur mission.

Une voix de stentor interrompit leur lecture. Ils se figèrent, crayons en suspens. Une femme d'une cinquantaine d'années, tout en rondeurs, apparut à la porte. Son téléphone piqué de strass essuyait une tempête véritable.

— … Mais je t'emmerde, tête de nœud ! rugit-elle. J'écris ce que je veux. Et tu veux que je te dise pourquoi ? Parce que je vais pas laisser un costard-cravate, haut comme trois bites à genoux, me dire où je dois pisser.

Capestan et Lebreton la fixèrent, médusés.

La furie leur adressa un sourire cordial, puis opéra un quart de tour avant d'éructer :

— Magistrat ou pas, j'en ai rien à carrer. Vous me foutez au placard ? Très bien. Je n'ai plus rien à perdre, et si vous voulez mon avis, c'est pas votre meilleure opération. Alors, votre substitut à la con, si je veux qu'il chope des hémorroïdes dans l'épisode prochain, je lui colle des hémorroïdes dans l'épisode prochain. Qu'il prépare sa pommade, cet abruti.

Elle raccrocha d'un coup sec.

— Bonjour, capitaine Eva Rosière, dit-elle en tendant la main.

— Bonjour, commissaire Anne Capestan, répondit celle-ci, l'œil encore écarquillé, en serrant la main tendue.

Eva Rosière, la surprise de Buron, sûrement. Elle avait travaillé des années au sein de l'état-major du Quai des Orfèvres, avant de se découvrir une vocation d'écrivain. À la surprise générale, en moins de cinq ans, ses polars s'étaient vendus à des millions d'exemplaires, traduits dans une dizaine de langues. Comme tout flic digne de ce nom, elle vouait aux magistrats un respect plus que modéré et n'hésitait pas à les brocarder, puisant sans vergogne ses personnages dans le creuset du parquet de Paris. Elle ne s'embarrassait pas trop à masquer les identités et ridiculisait ceux qui lui déplaisaient. Dans un premier temps, les magistrats avaient rongé leur frein en silence : se reconnaître, c'était se dénoncer, et un profil bas valait mieux qu'un éclat. Puis, quand une société de production l'avait contactée, Rosière s'était mise en disponibilité de la police pour tenter la grande aventure de la saga télévisée en prime time. Depuis, *Laura Flammes, police judiciaire* faisait les beaux jeudis de la Une et d'une trentaine de chaînes à travers le monde.

Au 36, cette gloire soudaine avait suscité un certain amusement. Que Olivier Marchal ou Franck Mancuso s'illustrent, soit. Mais qu'une femme, stéphanoise de surcroît, puisse être dotée d'un gros cerveau et d'un bon stylo, le Parisien le concevait plus difficilement. C'était pourtant le cas. Sa fortune faite, curieusement, Rosière avait demandé à réintégrer ses fonctions au sein de la police, sans renoncer pour autant à ses activités de scénariste. Ladite police avait bien été obligée d'accepter.

Mais ce qui était tolérable dans les romans devenait difficile à avaler sur écran, avec un public élargi. Sans compter qu'au cœur même de la PJ, en déballant ses millions devant des collègues qui n'en demandaient pas tant, elle avait fini par lasser la hiérarchie. Les moqueries qui passaient au début pour potaches commençaient à démanger les orgueils : on pardonne moins aux gens qu'on envie.

Ainsi, le début de saison, gratiné, avait déclenché une véritable cabale et l'administration s'était agitée pour museler l'artiste. Rosière échouait là aujourd'hui, l'administration avait donc remporté cette manche. Capestan, elle, suivait avec assiduité la série qu'elle trouvait très drôle et, malgré tout, bon enfant.

Rosière sourit à Capestan, puis coula un œil gourmet sur Lebreton. Une silhouette athlétique, le regard clair, des traits fins mais virils : dans le genre minéral, il était plutôt réussi, fallait reconnaître. Seule une ride profonde et verticale qui barrait sa joue droite, à la façon d'un pli d'oreiller, déparait son physique hollywoodien. Habitué à ces revues de détail, Lebreton s'inclina aimablement et rendit à Rosière sa poignée de main. Celle-ci s'adressa à Capestan :

— J'ai deux livreurs qui attendent en bas avec un bureau Empire. Je peux le mettre où ?

— Eh bien…

Rosière pivota pour étudier la configuration des lieux.

— À la place de ce merdier, ça irait ? fit la capitaine en désignant l'autre plateau sur tréteaux dans l'angle du salon.

— Ça irait.

*

À dix-huit heures, Capestan se tenait debout dans l'entrée, telle une maîtresse de maison dont personne n'a honoré la soirée. Elle s'était esquintée à apprendre par cœur une quarantaine de CV, et se retrouvait avec trois flics qui ne risquaient pas de reparaître le lendemain. Elle ne comptait pas les y forcer, en tout cas. Pour chacun d'eux, atterrir dans cette brigade était une punition, sans doute la fin du parcours.

Comme un écho au coup de mou de la commissaire, Torrez traversa le salon, sans un regard pour ses collègues. Sur son passage, Rosière et Lebreton tressaillirent, entre surprise et superstition. Canadienne sur le dos et mains dans les poches de son pantalon en velours côtelé, Torrez s'apprêtait à partir. Capestan hésita, puis décida de jouer franc jeu et de sonder les volontés.

— Moi, je serai là demain, mais ne vous sentez pas obligé, dit-elle au lieutenant.

L'équipe ainsi réduite, ça ne rimait plus à grand-chose, de toute façon.

Torrez, imperturbable, secoua un front de bourrique :

— On me paie de huit heures à douze heures et de quatorze heures à dix-huit heures.

Il tapota sa montre de l'index et ajouta :

— À demain.

Puis il sortit, refermant la porte derrière lui. Capestan se tourna vers Rosière et Lebreton, attendant leur réaction.

— Ce placard, c'est l'histoire de quelques mois, commença Rosière. Je ne vais pas me griller connement avec un abandon de poste.

Du bout des doigts, Rosière lissa sa chaîne et égrena les nombreux pendentifs qui reposaient sur sa gorge pigeonnante, des médailles de saints pour la plupart.

— Torrez, il a son propre bureau, de toute façon, c'est ça ?

Capestan confirma d'un hochement de tête et jeta un œil à Lebreton. Avant de se replonger dans son carton, celui-ci fit brièvement part de ses intentions :

— Il y a forcément une affaire qui vaut d'être traitée. Je la cherche.

Pour démarrer, ils seraient donc quatre. Au lieu des vingt espérés. Ce n'était pas si mal, finalement, et Capestan s'estima contente.

4

Le lendemain, ils creusèrent des heures entières. Piochant au hasard dans le mur de cartons qui longeait le couloir, ils écumaient les dossiers, espérant dénicher un cas qui mériterait une enquête plus approfondie. Rosière fut la première à marquer sa lassitude :

— Sérieux, commissaire, on va se palucher des vols de mobiles jusqu'à la Saint-Glinglin ?

— Il y a des chances, capitaine. On ne nous a pas envoyés là pour chasser Mesrine. Maintenant, on ne sait jamais, il faut insister.

Peu convaincue, Rosière se planta devant le mur :

— Ben voyons. Plouf plouf. Oh puis merde, je vais faire des courses.

Capestan la vit saisir sa veste dans un geste d'une amplitude toute théâtrale. D'une façon générale, Rosière n'était pas femme à redouter la visibilité : ses cheveux flambaient de roux, ses lèvres brillaient de rouge, sa veste chatoyait de bleu. Aucun camaïeu de beige ou de gris n'aurait risqué un fil dans le dressing de cette éclatante capitaine.

— Attendez, intervint Lebreton à voix basse.

Il venait d'ouvrir un dossier sur son bureau. Capestan et Rosière s'approchèrent.

— Un meurtre. Il était sur le dessus de celui-là, dit-il en désignant un carton estampillé « Orfèvres ». L'affaire date de 1993 et concerne un homme, Yann Guénan. Tué par balle. Il a été repêché dans la Seine par les gars de la Fluviale, il était coincé dans une hélice.

Les trois flics contemplaient leur trésor. Le sourire flottant sur les lèvres, ils laissèrent s'écouler quelques secondes d'un silence respectueux. Le magot revenait à son découvreur :

— Vous souhaitez vous en charger ? proposa Capestan à Lebreton.

— Volontiers.

On verrait si le chevalier des affaires internes serait aussi efficace pour patauger dans la Seine et ses corps qui remontent. Capestan avait anticipé la constitution des binômes si une enquête venait à sortir : elle ne voulait pas de Lebreton et personne ne voulait de Torrez. À quatre flics, le compte était rapide. La commissaire s'adressa à Rosière.

— Capitaine, vous ferez équipe avec lui.

— Parfait, répondit-elle en frottant ses mains dodues ornées de bagues multicolores. Bon, qu'est-ce qu'il nous raconte, le macchabée ?

5

— Allez, épouse-moi.

Même s'il n'élevait pas la voix et tentait de rester discret, Gabriel ne pouvait empêcher ses paroles de résonner dans la piscine de Pontoise. Sa demande portée par l'eau rebondissait sur les carreaux indigo et revenait en écho pour guetter la réponse de Manon.

En ce milieu d'après-midi, le bassin était quasiment vide, seuls quelques habitués enchaînaient les longueurs, à la poursuite d'une destination inconnue. Du moment que Gabriel et Manon ne venaient pas barboter dans leur couloir, peu importaient le bruit, les discours, les éclaboussures. Manon nageait une brasse coulée impeccable, malgré les mouvements désordonnés que produisait Gabriel pour rester à sa hauteur. Elle eut un sourire à travers l'eau qui ruisselait sur son visage.

— On est trop jeunes, Gab…

Gabriel essayait de viser la seconde où Manon sortait la tête de l'eau pour débuter ses phrases.

— On est majeurs, quand même.

— Depuis peu, pour ce qui te concerne.

— Tu veux que je te montre si je suis adulte ? fit-il, encore très satisfait de ses ébats de la veille.

Il coula un peu et dut battre des jambes pour se rétablir. Manon avait gagné deux mètres, il la rattrapa.

— Si tu ne veux pas m'épouser, on peut se marier à la place ? Se pacser ? S'échanger le sang avec un canif rouillé ?

— Tu ne veux pas lâcher l'affaire, hein ? On en a déjà parlé trente fois…

Ils dépassèrent une mamie portant un bonnet de bain constellé de fleurs en caoutchouc. Elle ne leur accorda pas un regard, concentrée sur son objectif. Gabriel aussi avait un objectif, il ne comptait pas en dévier.

— Je peux m'agenouiller, tu sais. Même dans une piscine, je peux m'agenouiller, j'avalerai de la flotte mais tu l'auras, ta grande scène. C'est ça que tu veux, une grande scène ? Tu veux une bague dans un gâteau, des fraises dans du champagne ?

— Mais arrête, je vais boire la tasse avec tes délires.

Manon était splendide. Même plongée dans des litres de chlore, elle sentait bon. Gabriel en était fou. Il plaisantait, lui envoyait des gouttes d'eau pour jouer les romantiques de film américain, le transi au cœur tendre. Mais en réalité, chaque atome de sa peau était tendu vers la réponse de Manon et ça ne le faisait pas rire du tout. Elle devait l'épouser. Il ne fallait pas qu'elle parte, qu'elle puisse s'envoler, disparaître. Passer le coin de la rue. Elle devait rester toujours et ne lui manquer jamais. Si un papier avait le pouvoir d'intervenir ne serait-ce que d'un iota là-dessus, alors Gabriel voulait le signer.

— Allez, Manon. Je t'aime. Et c'est mon programme pour les cinquante ans à venir, ajouta-t-il.

— Mais on a tellement de temps…

Il secoua ses cheveux comme un chien qui s'ébroue. Ses mèches brun-roux collaient sur son front.

— Oui. Cinquante ans. On les démarre quand tu veux.

Elle posa la main sur le rebord de la piscine pour reprendre son souffle et l'étudier un moment. À ses yeux, dont il connaissait la moindre variation, il sut qu'elle allait dire oui. Il rassembla tous ses sens et enclencha sa mémoire. Il devait enregistrer cette minute, il en avait tellement oublié dans sa vie, des minutes capitales, disparues sans espoir de retour, qu'il devait graver celle-ci jusque dans les dernières épaisseurs du cortex.

— D'accord. Allons-y.

Elle prit son temps avant d'ajouter :

— Oui.

*

Gabriel bondissait littéralement pour rentrer chez lui. Il allait annoncer la nouvelle à son père. Il arrivait boulevard Beaumarchais, encore quelques mètres et il serait à la maison. Gabriel bondissait toujours, mais à chaque sursaut, il sentait une bille de plomb cogner dans son estomac. Plus il approchait, plus la bille grossissait. C'était une gêne, un gravier, un hoquet, ça partirait, il ne savait pas pourquoi c'était là, donc ça partirait.

La bille se transforma en boule de pétanque. Il donna un bref coup de sonnette avant d'ouvrir avec ses clés. Il vit son père, confortablement installé dans son fauteuil Voltaire, qui tournait la tête et se levait pour l'accueillir. Grand, fort, hiératique. Une cathédrale, son père. Il ôtait ses lunettes et s'apprêtait à lui demander des nouvelles de sa journée, comme chaque soir.

Gabriel se lança sans préambule :

— Papa ! Manon a accepté de m'épouser.

Il sembla sur le point de sourire, mais sans vraiment réagir. Gabriel le sentait un peu sonné, pris au dépourvu. Sans doute son père le trouvait-il trop jeune, pas encore de taille.

— On voudrait faire ça au printemps si possible, il me faudrait le livret de famille.

Son père eut un imperceptible mouvement de recul, une raideur soudaine. Dans ses yeux, Gabriel vit une ombre passer, et s'installer.

6

En pénétrant dans ce qu'il fallait bien appeler son commissariat, Capestan croisa un homme chauve en costume bleu, bâti comme un mètre cube. Il avait oublié de se raser un coin sous le menton et sa cravate était tachée. Plusieurs traces qui ne dataient ni du même repas ni du même jour. Au revers de sa veste, il portait un insigne du Lion's Club qu'il tentait de faire passer pour une Légion d'honneur. Gobelet à la main, l'homme courba civilement la tête.

— Capitaine Merlot, pour vous servir. À qui ai-je l'honneur ?

Alors qu'une puissante odeur de vin rouge contaminait l'atmosphère, Capestan répondit en respirant le moins possible :

— Commissaire Capestan, bonjour capitaine.

Gaillard et nullement gêné par l'évocation hiérarchique, Merlot poursuivit :

— Ravi, chère amie. J'ai un rendez-vous auquel je ne peux me soustraire, et je ne saurais m'attarder, mais j'espère avoir bientôt le plaisir de faire plus ample connaissance, car…

Merlot pontifia quelques minutes sur l'importance de son rendez-vous et la valeur de ses amis, posa son gobelet vide sur une pile de cartons dans l'entrée, puis promit de revenir dès que ses activités le permettraient. Capestan acquiesça, comme si cette présence à la carte allait de soi, puis entra dans l'appartement en se promettant d'aérer. Elle compulsa ses fiches mentales pour retrouver Merlot. Capitaine, un « Papy Crayon », comme on surnommait ces flics de terrain vieillissants affectés à la rédaction des procès verbaux. Après trente ans à la Mondaine, il était désormais sur la touche. Alcoolique notoire et bavard impénitent, il paressait la plupart du temps, mais disposait d'un réel entregent. Capestan espérait qu'il reviendrait grossir les rangs, après ses fameux rendez-vous et quelques cachets d'aspirine. En attendant, il fallait déjà animer cette équipe de quatre. Et surtout convaincre Torrez d'enquêter en tandem.

La veille, dans un carton de la Crim, entre un suicide et un accident de la route, Capestan avait déniché un dossier intéressant, celui d'une vieille dame étranglée lors d'un cambriolage. On n'avait pas trouvé le coupable. L'affaire remontait à 2005, mais le cas méritait une relance.

Avant de rentrer chez elle, Capestan avait déposé une copie du dossier sur le bureau de Torrez pour préparer le terrain. Si, comme prévu, il était venu à huit heures pour se barricader au fond du couloir, il devait être en train de l'étudier. Ce n'était pas gagné pour autant.

Capestan salua brièvement Louis-Baptiste Lebreton qui s'était installé un ordinateur et brassait un monceau de fils électriques pour le connecter à Internet. Elle posa son sac à main et son trench sur une chaise à côté de son bureau et eut un geste machinal vers sa ceinture pour sortir le Smith & Wesson bodyguard de son étui. Ce cinq coups, compact et léger, envoyait du .38 spécial et Buron, alors patron de l'Antigang, le lui avait offert pour fêter son arrivée à ses côtés. Mais le revolver n'était plus à sa place. Capestan n'était plus autorisée à porter une arme. Pour achever son mouvement sans trop se ridiculiser, elle fit mine de replacer sa ceinture puis alluma sa lampe de bureau.

Elle se dirigea ensuite vers la cuisine en emportant le grand cabas rouge avec lequel elle était arrivée. Elle en sortit une cafetière électrique, une boîte de six tasses avec soucoupes assorties, quatre mugs, des verres, des cuillères, trois paquets de café moulu, du sucre, du liquide vaisselle, une éponge et un torchon imprimé « Fromages de France ». De mauvaise grâce, elle proposa un café à Lebreton, qui refusa. La prochaine fois, elle s'abstiendrait.

Mug à la main, elle s'assit donc à son bureau pour étudier le meurtre de Marie Sauzelle, soixante-seize ans, tuée en juin 2005 dans son pavillon du 30, rue Marceau à Issy-les-Moulineaux. Capestan ouvrit le dossier. Le premier cliché suffit à la couper du monde.

*

La vieille dame était assise dignement dans son canapé. Elle était bleue. Des taches rouges parsemaient ses yeux et ses pommettes, un bout de langue pointait entre ses lèvres et un air de panique persistait sur son visage congestionné. Mais elle était bien coiffée et ses mains reposaient sagement l'une sur l'autre. La barrette en écaille qui retenait ses cheveux était clipsée à l'envers.

Autour de la victime bien rangée, le salon, lui, semblait avoir littéralement explosé. Les bibelots avaient giclé des étagères. Le sol était constellé de débris d'animaux en porcelaine. Au premier plan de la photo, les cristaux roses d'un caniche baromètre promettaient une météo clémente. Un bouquet de tulipes en bois était éparpillé sur le tapis. Sur la table basse, un autre bouquet, de fleurs fraîches celui-là, le narguait en baignant dans son eau miraculeusement épargnée.

Le cliché suivant dévoilait un autre angle du salon. Des CD et des livres de tous formats gisaient au pied de la bibliothèque en chêne. Face au canapé, la télé, un modèle cathodique à l'écran rebondi, était allumée sur Planète. Un détail intrigua Capestan, qui fouilla son sac à la recherche de sa loupe pliante. Elle sortit l'instrument de sa housse et centra le cadre en acier poli sur l'écran. Dans le coin en bas à droite, on distinguait un symbole, celui du haut-parleur barré. La télé était sur « mute ».

Capestan écarta la loupe, puis étala différentes photos sur son bureau pour obtenir une vue d'ensemble. Seuls le salon et la chambre principale avaient été retournés. La salle de bains, la cuisine et la chambre d'amis étaient intactes. La commissaire parcourut rapidement les rapports de synthèse : la serrure de la porte d'entrée avait été forcée. Capestan but une gorgée de café et réfléchit un instant.

Un cambriolage. Si la télé était sur « mute », alors Marie Sauzelle était en train de la regarder. On ne part pas se coucher en laissant son poste allumé. Elle entend du bruit, elle coupe le son pour en avoir le cœur net. Le salon donne sur l'entrée, elle surprend forcément le voleur dès son arrivée. Mais au lieu de fuir comme n'importe quel cambrioleur, celui-ci la tue. Puis il l'assied et, si l'on en juge par le bon ordre des cheveux et la barrette à l'envers, il la recoiffe. Ensuite, il dévaste le salon, à la recherche d'argent sans doute, et la chambre où les bijoux ont disparu.

Capestan tourna la loupe entre ses mains. Ce cambrioleur lui paraissait bien instable et peu logique. Nerveux, sans doute. Toxico ou débutant peut-être, ce qui compliquait toujours les enquêtes. Elle attaqua la lecture du rapport du légiste et des PV de constatations.

Marie Sauzelle était morte étranglée. Son corps avait été découvert tardivement, probablement quinze jours après sa mort. Le légiste n'avait pu fixer ni l'heure ni le jour du décès. Il avait noté la présence d'un bleu à l'avant-bras droit, probablement une trace défensive, mais n'avait décelé aucun fragment de peau sous les ongles.

De son côté, l'Identité judiciaire n'avait relevé ni ADN ni empreintes papillaires sur les lieux, en dehors de celles de la victime et de sa femme de ménage qui, au moment du meurtre, se trouvait au Lavandou, sous la pluie, parce que « y a des gens qu'ont pas de bol », avait-elle spécifié en pensant aux averses, non au meurtre.

Même s'il avait rapidement conclu en faveur du cambriolage qui dégénère, le groupe de la Crim avait exploré d'autres pistes. Les relevés téléphoniques indiquaient des appels familiaux, plutôt courts, des numéros administratifs, quelques amies, rien de fascinant. Rien de particulier sur les mouvements bancaires non plus, mais le compte courant était solidement pourvu.

Le témoignage d'une de ses amies évoquait la richesse de la vie associative de Marie Sauzelle et notamment sa passion pour le tango : « Elle m'a suivie pour une leçon il y a un an et ça a révolutionné son existence. Marie prenait plusieurs heures de cours par semaine et tous les jeudis on allait ensemble au thé dansant du Balajo. Elle s'offrait des tenues incroyables : jupe fendue et justaucorps décolletés. À son âge, elle portait encore beau... Oui, elle était douée et puis tellement gaie. Même en dansant, elle ne pouvait pas s'empêcher de fredonner : tam tam tadam, tadadadam, tam tam tam tadam... Ça irritait un peu ses partenaires, c'est vrai. » Les postures latines devaient y perdre de leur superbe, en effet, et Capestan sourit en imaginant la mine déconfite des papis gominés.

C'est le voisin, Serge Naulin, cinquante-six ans, qui avait alerté les autorités. Le frère de la victime, André Sauzelle, soixante-huit ans, résidant à Marsac dans la Creuse, inquiet de trouver ses messages sans réponse, lui avait demandé d'aller vérifier si tout allait bien. Naulin avait sonné sans succès et comme « une odeur nauséabonde semblait émaner de l'intérieur », il avait contacté les pompiers, qui avaient prévenu la police.

Le PV d'audition du frère tenait en deux simples pages, mais en annexe le dossier dressait le portrait d'un homme colérique, brutal, avec des antécédents de violence conjugale. Un beau costume de suspect. Pourtant, sa culpabilité avait été écartée : pas d'élément à charge, pas de mobile apparent et un éloignement géographique sans aucun mouvement bancaire indiquant un déplacement. La Criminelle s'était de nouveau concentrée sur les cambrioleurs en activité à l'époque. Ça n'avait rien donné.

Il fallait redémarrer à zéro, visiter les lieux et interroger les voisins. Sept ans plus tard, quelqu'un se souviendrait peut-être de quelque chose. Un meurtre à côté de chez soi, on ne l'efface pas de sa mémoire.

*

En se levant pour aller chercher Torrez, Capestan aperçut une tête frémissante de curiosité dans l'entrée. Elle appartenait à un jeune homme dégingandé, aux cheveux rares et blonds. Il jeta un œil depuis le seuil, salua de la main, puis repartit aussi sec. La commissaire identifia Lewitz, un transfert du SRPJ de Nanterre où le zélé brigadier avait broyé trois voitures en trois mois. En ce milieu de matinée, c'était le deuxième à apparaître et disparaître de la sorte. En ajoutant la visite de Merlot, peut-être pouvait-on considérer que la brigade allait s'étoffer, peuplée de pétards mouillés. Ils seraient sept.

Lebreton, lui, annotait le dossier de Yann Guénan, en attendant que Rosière daigne pointer sa copieuse silhouette. Avant de tourner chaque page, il donnait un petit coup de stylo sur le bureau, façon tic de batteur. Il ne dégageait pourtant aucune onde de nervosité, jamais. Avant l'IGS, il avait exercé comme négociateur au Raid pendant dix ans, on ne l'agaçait pas facilement. Ce type était un bloc de flegme, parfois fissuré d'un sursaut d'arrogance. Il ignora le passage de Capestan.

À travers la porte, la commissaire perçut la voix de Daniel Guichard qui chantait *Mon vieux*. Elle frappa et il fallut bien trois secondes avant que ne retentisse un « Oui » signifiant « Mais qui vient me déranger et pourquoi ? ». Elle ouvrit, résolue à incarner celle qui dérangeait, pour travailler pardi. Torrez était étendu sur un canapé de velours marron qui n'était pas là la veille encore. Comment l'avait-il monté jusque-là ? Mystère. Au mur était punaisé un dessin d'enfant représentant un soleil et un chien, ou un chat, peut-être un cheval. Au vu du dossier sur les genoux du lieutenant, celui-ci arrivait en toute fin de lecture.

— Je vais à Issy, annonça Capestan. Vous m'accompagnez ?

— Je ne vais nulle part, avec personne. Sans offense, répondit-il, le nez rivé sur sa page.

Sur le bureau du ténébreux policier, Capestan remarqua un pot à crayons entouré de papier aluminium. En son centre, une fleur gravée et laquée de vernis à ongles rouge déclarait « Bonne Fête Papa ». D'une voix douce, mais sans sourire, Capestan recadra le débat :

— Si. En fait, de huit heures à douze heures et de quatorze heures à dix-huit heures, si vous souhaitez enquêter, vous venez avec moi, votre commissaire.

Capestan appréciait peu les épreuves de force, mais elle avait besoin d'un équipier pour travailler correctement et seul Torrez était disponible. Alors, content ou pas, il devrait s'y faire.

Torrez la jaugea un instant. Une expression fataliste se peignit sur ses traits. Il se mit en branle lourdement et attrapa sa canadienne. En passant devant Capestan, il prévint d'une voix morne :

— C'est jamais moi qui finis à l'hosto, vous savez.

S'adressant au dos du capitaine, elle répliqua sur le même ton :

— Si, à la fin de la semaine, je suis morte, on dira que j'avais tort.

Île de Key West, sud de la Floride,
États-Unis, le 18 janvier 1991

Alexandre sirotait un rhum gavé de glace sur la terrasse en bois de sa petite maison coloniale, une construction blanche et tarabiscotée. La buée faisait glisser le verre entre ses doigts. À ses côtés, Rosa, enceinte de huit mois, buvait un citron pressé. Tous deux savouraient le rythme régulier de leur balancelle, le claquement léger de la porte moustiquaire et le parfum du bougainvillée grimpant. Mais Rosa, si active d'ordinaire, commençait à s'ennuyer ferme sur son coussin molletonné, elle voulait se promener, même un peu, même tout près.

Un nouveau musée venait d'ouvrir, elle trouvait que ce serait amusant d'y faire un tour. La « Treasure Exhibit » exposait une modeste partie du butin que le célèbre Mel Fisher avait remonté des épaves de deux galions espagnols. Alexandre aussi était plongeur et l'idée de payer pour admirer un type qui se rinçait l'ego en exhibant une parcelle de ses glorieux quatre cents millions de dollars ne le tentait pas du tout, mais Rosa, le plus éclatant des trésors, insistait.

Alexandre la contemplait sans jamais se lasser. Rosa la Cubaine, devenue fille de Floride comme des milliers de réfugiés castristes. Ce n'était pas sa beauté à proprement parler qui éblouissait, plutôt une note infinitésimale dans le déroulement du mouvement, la courbe des gestes. À leur vue, le ventre d'Alexandre se serrait, identifiant la parfaite réponse à ses propres mouvements, ses propres gestes. Rosa avait une intensité de regard, mélange d'autorité et de mélancolie, qui le renversait. Et elle attendait un enfant de lui. Ils seraient liés ainsi pour les siècles des siècles. Alors, si elle voulait traverser des hordes de touristes négligés et transpirants pour atteindre le piège à gogos de Mel Fisher, et bien soit, il s'y rendrait.

7

— Putain de sac de merde, maugréa Rosière en cherchant son portable.

Elle posa son Vuitton monogrammé sur le perron et écopa le contenu avec rage. Elle finit par trouver le téléphone et fit défiler le répertoire jusqu'au numéro de Lebreton.

— Oui, c'est Eva. Je serai là plus tard que prévu. Non, mon chien a décidé de m'emmerder, ça fait une demi-heure que je le balade et il veut pas pisser. Non, pas besoin de véto, je le connais, il va très bien, c'est uniquement pour me faire chier, il veut pas que je parte. Hein Pilou, ajouta-t-elle en s'adressant à son chien, tu crois pas que Maman va te promener jusqu'au Mont-Saint-Michel, des fois ?

Avec sa bouille de ravi et ses grosses pattes prêtes à repartir, Pilote – Pilou pour les intimes – semblait penser que si, Maman pouvait le conduire jusqu'en Normandie, elle n'avait que ça à foutre.

Au bout du fil, Lebreton annonça :

— J'ai fait des recherches sur le marin.

— Ah.

Rosière avançait en imprimant de légères secousses à la laisse pour motiver Pilou, mais rien à faire, il reniflait, il reniflait, et rien.

— Dis-moi, Louis-Baptiste, ça t'embêterait beaucoup qu'on se rejoigne ici plutôt qu'au commissariat ? Comme ça, je traîne mon despote encore un moment et toi, tu me racontes le marin à la maison, devant un café…

— T'es où ?

— Je suis rue de Seine, au 27.

— D'accord. Je suis là dans un quart d'heure.

Parce qu'elle ne pouvait pas s'en empêcher, elle ajouta :

— De l'extérieur, on dirait un petit immeuble, mais c'est une maison, en fait. Donc tu sonnes et c'est bon.

La veille au soir, Eva Rosière était passée sur le plateau de tournage de *Laura Flammes*. Elle n'avait pas à y aller, elle le savait, mais elle ne pouvait pas s'en empêcher. Elle conservait un petit coin de frime déçue. Chaque fois, elle espérait qu'on l'accueillerait en vedette, au milieu des caméras. Elle continuait de s'imaginer que des comédiens reconnaissants pour tant de répliques choc lui souriraient de toutes leurs dents à facettes. Que le réalisateur, heureux de bosser des scènes d'action aussi inventives, lui tapoterait les doigts avec cérémonie. Mais non. Toujours pas. Au bout de six saisons à succès, grâce au contrat en béton négocié par un agent redoutable, Rosière était riche. Mais sur le plateau, hier encore, le metteur en scène l'avait reçue avec un sourire contraint, comme on demande à mémé Alzheimer de retourner dans sa chambre. La déférence, c'était pour les actrices. Les scénaristes, ça pondait et ça faisait pas chier. Ça restait tout seul devant son clavier.

Rosière crevait de solitude, fallait l'admettre. Et ce n'était pas l'écriture qui pouvait résoudre un tel problème. Elle n'avait pas vu venir le gouffre. À l'époque bénie de ses débuts de romancière, elle restait mère et policière, sa vie sociale pétillait toujours. Le succès l'avait saisie et, avec lui, la fortune. Elle n'avait plus de parents, n'avait jamais eu de mari, mais son fils Olivier habitait encore chez elle, en attendant son diplôme de kiné. Il éparpillait ses affaires aux quatre coins de l'appartement et cuisinait chaque soir, sans ménager sa joie. Pour ce qui constituait le train-train professionnel, Rosière était comme poule en pâte au sein de l'état-major de la police, lieu de convergence des informations où usinaient les flics revenus du terrain. Des collègues, des fauteuils à roulettes, des échos et du bavardage d'un côté ; de la reconnaissance et un foyer chaleureux de l'autre. Bénie des dieux, elle était. Mais il avait fallu qu'elle tente le tout pour le tout : la mise en disponibilité, la télévision.

Soudain, elle n'avait plus fait qu'écrire. Du matin au soir. Une série et ses exigences gargantuesques qui avaient vidé la citerne à idées. Plus une goutte de fiction ne coulait dans ses veines.

Et sans le savoir, en quittant les flics, elle avait quitté ses amis. Elle n'avait plus qu'un clavier comme collègue, un écran pour bavarder. Olivier était désormais le seul fil qui la reliait au monde. Son seul lien, devenu infiniment ténu après son envol pour Papeete.

Papeete. Rosière avait étudié le globe : plus loin de Paris que Tahiti, y avait pas.

Sa dernière année de mise en dispo, elle ne voyait plus personne autrement qu'en coup de vent, pour un contrat ou un briefing. Tous ses contacts étaient chargés de sens, d'utilité. Elle ne fréquentait plus anodin. Le matin, elle ne voyait personne ; l'après-midi, elle ne voyait personne et elle savait que le soir, après être allée chercher le pain, elle rentrerait et il n'y aurait personne. Des semaines de sept dimanches. À quoi bon réussir sans quelqu'un auprès de qui se vanter ? Sa vie ressemblait de plus en plus à une affiche contre l'isolement.

Alors elle avait repris la police. Dans la Maison, il y avait de quoi remplir à la fois le quotidien et le réservoir d'inspirations. De nouveau, tout s'animait. Là, elle pouvait beugler sans se faire virer. C'est du moins ce qu'elle avait cru, jusqu'à ce qu'on la case dans cette brigade. Enfin, elle verrait bien. Pour le coup, à quatre, au niveau intimité, elle était servie.

Rosière était partie à la pêche aux infos et ce qu'elle avait obtenu de bruits de couloir, rumeurs, supputations, l'avait intriguée. Elle n'était pas mécontente de travailler avec Capestan. L'élève modèle qui dévisse, la douceur Kalachnikov. Du biscuit pour scénario, cette fille. D'ordinaire, Rosière appréciait peu le profil bourgeoise, mais celle-ci avait du chien, fallait reconnaître. Elle n'était pas pénible, en plus. Une autorité naturelle, une vraie force de volonté, mais pas du tout le genre à vous piétiner le godillot. Et elle s'était gardé Torrez au lieu de le refiler, elle ne manquait pas de courage. Rosière préférait largement se colleter l'Apollon de l'IGS. Et puis, le dossier du marin assassiné paraissait prometteur.

D'ailleurs, elle pensait sans cesse à l'affaire et n'avait pu écrire une ligne de la matinée. Quelques épisodes d'avance l'attendaient au chaud, mais un auteur n'aime pas bloquer devant l'écran blanc, et Rosière s'était acharnée à écrire malgré tout. Cela avait retardé la deuxième balade syndicale du chien, d'où mesure de rétorsion : Pilote était tatillon sur les horaires.

Comment pouvait-on enquêter sur une affaire qui avait vingt ans ? Le dossier était maigre, les interrogatoires ni faits ni à faire. Les flics de l'époque avaient salopé le boulot, un vrai truc de cossards.

Plantée au milieu du trottoir, Rosière sortit une cigarette de son paquet et l'alluma avec son Dupont en or. Il était gravé au nom de Laura Flammes. Elle souffla la fumée par le nez. Le meurtre d'un marin au chômage, ça n'avait pas déplacé les foules. Sa veuve avait tapé un peu de raffut au début, puis elle s'était mise à picoler. Aujourd'hui, peut-être qu'elle continuait de boire et que le monde continuait de s'en foutre. Rosière visualisa la scène de la veuve avec une tronche de raisin, la transposa en format télé et chercha un dialogue pour fourguer l'émotion en limitant le pathos. Pilou, sentant la pause, en profita pour se soulager.

Eva Rosière contemplait encore la braise de sa clope, quand la carrure de Lebreton débarqua dans son champ de vision. Quelle gueule, celui-là. Que faisait-il dans cette brigade poubelle ? Il n'avait pas le profil d'un minable. Elle écrasa son mégot sous la pointe de sa Louboutin.

— Rien de neuf ? demanda Lebreton en désignant le chien du menton.

— Si, le platane a fini par l'inspirer. En face de ma porte. Il m'a fait faire le tour du quartier pour finir par pisser sur mes marches. Enfin. Allez Pilou, on tourne ?

À ces mots, le chien sauta sur le paillasson et enchaîna les tours complets. Départ à gauche, départ à droite et rebelote, en grattant consciencieusement ses pattes sur le poil dur du tapis.

— C'est bien, mon chien, le félicita Rosière, avant de s'adresser à Lebreton. Café ?

*

Ils étaient tous deux installés dans le grand canapé d'angle en cuir blanc, le dossier de Guénan soigneusement étalé sur la table basse en verre fumé. Lebreton touilla son café, posa la cuillère sur la soucoupe et attaqua les présentations d'une voix paisible :

— On a donc Yann Guénan, chef de quart passerelle dans la marine marchande, après une brève période de chômage, il venait d'accepter un poste sur les bateaux-mouches. À trente ans, il était marié à Maëlle Guénan, vingt-six ans, assistante maternelle, avec qui il avait un fils, Cédric, cinq ans. Tous trois venaient d'emménager rue Mazagran, dans le Xe arrondissement de Paris, pas très loin de la sœur de madame.

— Ouais (Rosière saisit un cliché noir et blanc). Quand les gars de la Fluviale l'ont repêché, il buvait le bouillon depuis un moment. Les poissons avaient commencé à le becqueter. Avec la peau translucide, on aurait dit une méduse. Putain, ils ont le cœur bien accroché, les mecs, pour palper des flans pareils. Du coup, l'heure du crime, c'était à la semaine près.

— On peut compter sur la déclaration de disparition de sa femme.

— Ce qui nous donne le 3 juillet 1993, en gros. La dernière fois qu'on l'a vu vivant, il sortait d'un bistrot près du quai Branly.

— C'est loin de chez lui…

— Mais près de la flotte, releva Rosière en lissant machinalement la chaînette autour de son cou.

— Admettons.

— En revanche, 1993, le meurtre n'est pas prescrit ?

— Non, en 2003, la veuve a protesté, elle a apporté des éléments nouveaux qui finalement ne l'étaient pas, mais un juge d'instruction est passé par là, l'affaire a été ranimée.

Lebreton marqua un temps et se renversa dans son fauteuil, avant d'ajouter :

— Il nous reste trois mois. Après, fini.

Il sortit ses Dunhill et demanda la permission d'un haussement de sourcils. Rosière opina et en profita pour déchirer la cellophane autour de son paquet de Vogue. Elle en alluma une, tira une longue bouffée qu'elle s'efforça de recracher façon Marlène Dietrich, et posa son briquet en évidence sur la table. La fumée s'éleva en volutes jusqu'aux moulures du plafond. À leurs pieds, Pilou ronflait paisiblement, allongé sur un authentique tapis persan noir et fuchsia qui avait coûté six briques.

Il fallait bien ça pour meubler le chic Rive Gauche. Ce n'était pas encore l'hôtel particulier, mais c'était déjà une jolie maison. Cent quatre-vingts mètres carrés, répartis sur trois niveaux. Largement suffisant pour un adulte et un chien. Et puis, quelle adresse ! Rue de Seine. Rosière en avait fait l'acquisition deux ans auparavant, grâce à ses droits d'auteur à l'étranger. Europe, Japon et surtout Amérique du Sud. Ses bouquins avaient fait un carton en Argentine et la série avait ensuite débarqué en terrain conquis. Depuis, par esprit de communion, la capitaine apprenait l'espagnol. Et elle avait ajouté la Vierge Luján, sainte patronne de l'Argentine, aux médailles de son pendentif.

Rosière se resservit une tasse de café en se demandant si elle avait bien fait de le verser dans une théière en porcelaine. Peut-être que ça ne se faisait pas. À vérifier, nota-t-elle. La tapisserie d'Aubusson tendue contre le mur encadrait admirablement les traits patriciens de Lebreton. Celui-ci reprit :

— La première balle a perforé le ventricule droit, la deuxième a brisé la colonne vertébrale. Les deux balles ont atteint leur cible, il s'agit donc d'un tir à bout portant et sans doute expérimenté. Le légiste pense à des balles de neuf millimètres.

— Le calibre le plus courant. Que le légiste nous dise aussi que le tueur portait un jean et des baskets, et on pourra encore affiner…

Lebreton sourit, striant sa pommette.

— Dans tous les cas, on ne peut rien affirmer, on n'a pas trouvé de douilles et le tueur a extrait les balles au couteau. Incision en croix au niveau du cœur, bien nette…

— Du travail de pro.

— Exactement. De pro très prudent. Il a lesté Guénan avec une ceinture de plongée. La ceinture modèle courant et sans empreintes, évidemment.

Lebreton passa la main dans ses beaux cheveux épais pour les ramener en arrière et écrasa sa cigarette avec soin. Il réfléchissait.

— Le meurtrier est un homme, compléta Rosière. Yann Guénan était un beau morceau : fallait du biceps pour le balancer à la baille. Sans compter le poids de la ceinture. Sans témoins, sans bruit, en fait de pro, je parierais carrément sur un tueur à gages. Un contrat, une exécution. Pas obligé, mais ça cadrerait.

— J'y ai pensé. J'ai lancé des recherches ce matin, mais notre accès au Fichier est limité. Cependant, il ne semble pas que Guénan ait appartenu à une mafia quelconque. S'il y a règlement de comptes, il ne concerne pas le grand banditisme.

À gestes lents, Lebreton récupéra des papiers dans sa veste. Il les déplia :

— Deux mois avant de mourir, il naviguait à bord du *Key Line Express*.

— Ah, fit Rosière, pour qui cela n'évoquait pas grand-chose.

— Un ferry qui assurait la liaison entre Miami et Key West. Il a fait naufrage dans le golfe du Mexique. Quarante-trois morts, dont seize Français. L'armateur était américain, mais le constructeur du bateau était breton, basé sur le chantier naval de Saint-Nazaire. Or Yann Guénan s'est justement rendu là-bas début juin.

Rosière se pencha pour caresser l'oreille soyeuse de son chien. Celui-ci eut un battement de queue paresseux et soupira d'aise. Lebreton poursuivit :

— Les flics ont interrogé le constructeur, mais ça n'a rien donné.

— Et la veuve, elle en pense quoi ? demanda Rosière en se redressant.

— Elle habite toujours rue Mazagran. Elle accepte de nous recevoir demain.

— Au poil. On passe au commissariat ? Je voudrais prendre deux ou trois mesures.

*

Tous deux sortirent dans une rue baignée de soleil. Rosière donna un tour de clé à sa porte et aussitôt retentit l'alarme qu'aucun code ne neutralise : le hurlement du clébard en détresse. Rosière se tourna vers Lebreton pour quêter une approbation, mais celui-ci l'observait sans se prononcer. À l'intérieur, Pilou eut un couinement lugubre et entreprit de gémir en reniflant sous la porte. Rosière abdiqua :

— Bon, je le prends.

Lebreton opina du chef, sans dire un mot. Ce type ne faisait jamais de commentaire, sur rien. Il gardait toujours cet air aimable mais sans concession du type qui vous laisse face à vos responsabilités. Pas moyen de se dédouaner. Rosière ouvrit, le chien bondit comme s'il était resté enfermé dix ans. Lebreton se dirigea vers la Seine.

— Tu vas où ? fit Rosière.

— Au commissariat.

— À pied ?

— C'est à dix minutes…

Rosière pouffa.

— T'es mignon.

Puis, d'un mouvement ample, elle déclencha un bip qui réveilla une puissante Lexus, modèle Full Hybrid de luxe d'un noir étincelant, garée à l'angle de la rue.

8

Vingt minutes plus tard, la Lexus ronronnait toujours au feu de la rue Dauphine. Suspendu au rétroviseur, un sapin désodorisant jaune voletait faiblement. Sur le siège passager, Lebreton, indifférent, détaillait les touristes qui photographiaient le Pont-Neuf et la statue d'Henri IV. Manches relevées, le coupe-vent noué autour des hanches, ils profitaient de la douceur de l'air et du point de vue sur le fleuve. Même à reculons, ils avançaient plus vite que les voitures.

— T'es marié ? questionna Rosière en désignant les anneaux d'argent sur la main gauche de Lebreton.

— Veuf.

— Oh, désolée. Depuis longtemps ?

— Huit mois et neuf jours.

Rosière eut un raclement de gorge gêné, mais son tempérament l'incita à pousser un peu.

— Elle s'appelait comment ?

— Vincent.

— Ah.

Ça ne ratait jamais. Ce « Ah » à la fois étonné et soulagé. Là, on ne parlait pas de famille brisée, aucun drame véritable. Lebreton avait vécu douze ans avec

Vincent, mais le monde semblait penser qu'il ne souffrait pas vraiment, en tout cas, pas pareil. Louis-Baptiste avait l'habitude, mais chaque « Ah » plantait une banderille de plus. Il finirait l'année avec un dos de porc-épic. Dans cette brigade comme ailleurs.

Les quelques minutes de trajet suivantes se déroulèrent dans le mutisme embarrassé de Rosière. Louis-Baptiste Lebreton continuait d'observer la foule, avec la même indifférence. Mais alors qu'ils passaient devant la boutique Habitat de la rue du Pont-Neuf, Rosière remarqua des transats à toile bayadère qu'elle voulut à tout prix examiner. Elle se gara en travers d'une place de livraison et embarqua son équipier dans le magasin.

Elle choisit quatre transats à livrer rue des Innocents, avec une table ronde en fer assortie de ses chaises, pour agrémenter la terrasse. Rosière était passée à autre chose, et ses projets les plus pressants concernant Lebreton visaient maintenant à lui faire charrier un laurier-rose du quai de la Mégisserie jusqu'au pot en terre cuite du commissariat. Elle obtint facilement gain de cause, le commandant ne rechignant jamais à rendre service. Elle le déposa en bas de l'immeuble, puis redémarra en direction du parking.

*

Une fois sur le palier, l'arbuste dans les bras, Lebreton parvint à toquer du coude. Des pas lents résonnèrent sur le parquet, suivis du glissement furtif de l'acier contre le judas. Après deux tours de clé, la porte s'ouvrit sur un visage connu du commandant : le capitaine Orsini. Un vent froid s'engouffra soudain dans le commissariat. Une fenêtre, quelque part, devait créer un courant d'air. Ou bien la simple présence d'Orsini suffisait.

Lebreton posa le laurier-rose et serra la main glacée que lui tendait l'ancien enquêteur de la brigade financière. Il n'avait que cinquante-deux ans mais en paraissait dix de plus. Il se présentait toujours vêtu d'un pantalon de gabardine grise, d'une chemise blanche et d'un foulard en soie noir – ou bleu marine, parfois. Un pull col V dans les mêmes tons réchauffait la tenue en hiver. Seules ses chaussures brillaient de mille feux, le capitaine ne tolérant pas le moindre laisser-aller.

Orsini avait enseigné le violon au conservatoire de Lyon jusqu'à l'âge de trente-quatre ans, puis, après avoir passé les concours, il avait intégré la Police judiciaire. Un virage curieux, puisqu'il détestait la police et semblait n'y appartenir que pour mieux la trahir : à maintes reprises, les investigations de Lebreton à l'IGS avaient été étayées par les notes du capitaine Orsini. À la décharge du délateur, il n'avait jamais soulevé que des cas de corruption avérée et appuyait ses accusations d'éléments probants. Il mâchait le boulot de l'Inspection des services certes, mais surtout, de la presse. Si cet homme par ailleurs irréprochable atterrissait dans cette brigade, ce devait être en lien avec son carnet d'adresses et sa propension à informer les journalistes de tous les secrets qui traînaient dans la Maison. Il n'avait jamais été révoqué pour manquement à l'obligation de réserve, mais un divisionnaire quelconque avait dû estimer qu'il était la source de trop dans son service et qu'il valait mieux l'envoyer plus loin, au diable par exemple. Exit la Balance : direction la brigade perdue.

Avec ses nouveaux collègues, Orsini trouverait de quoi noircir une pile de rapports. Ça n'arrangerait sûrement pas les affaires de Capestan, se dit Lebreton avec détachement.

Eva Rosière vérifia qu'elle n'avait rien laissé dans le vide-poches de la portière conducteur. Elle passa une main reconnaissante sur le Saint-Christophe adhésif du tableau de bord et saisit l'anse de son sac en cuir sur le siège passager. Avant de sortir, elle se tourna vers son chien, assis au garde-à-vous sur la banquette arrière.

— Écoute-moi bien, Pilou. À mon avis, ici encore, les chiens sont interdits, mais on va tenter le coup. Alors tu te tiens bien, tu m'as comprise ?

— Yep ! répondit Pilote, concis.

— Voilà, t'es poli avec tout le monde, surtout la chef.

9

La circulation était fluide sur les quais de Seine et les scooters frôlaient la voiture comme une nuée de martinets. Quelques minutes plus tôt, en apercevant la carcasse déglinguée de la 306, Torrez avait marqué un temps d'arrêt. Capestan lui avait expliqué, maints sourires à l'appui, qu'en sus de la Clio rouillée et de la Twingo sans pare-chocs, cette Peugeot constituait tout le parc automobile attribué à la brigade.

Visiblement, l'État dispensait ses véhicules au mérite.

Torrez avait d'abord refusé de prendre le volant, mais Capestan avait insisté. Elle n'aimait pas conduire, préférant le siège passager et ses plaisirs contemplatifs.

L'intérieur de la 306 valait sa carrosserie. Planté dans l'angle de la portière, un tournevis empêchait la vitre de descendre ; le pommeau du levier de vitesse, arraché, se réduisait à une longue vis noire de graisse qu'il fallait se résoudre à empoigner pour passer la première ; les fils électriques qui émergeaient de l'emplacement autoradio dansaient au rythme du trajet. Dans cet habitacle hérissé de toutes parts, les deux policiers se tenaient en silence, sur la réserve, depuis la sortie du parking. Au feu du pont de Grenelle, Torrez finit par parler :

— Pour retrouver un cambrioleur sept ans après les faits, on va s'amuser.

— Il faudra faire preuve de créativité, c'est certain.

Le lieutenant haussa deux épais sourcils et redémarra. Son optimisme faisait plaisir à voir.

Quinze minutes plus tard, ils se garaient en haut de la rue Hoche, à deux pas de la mairie d'Issy-les-Moulineaux. Sur le square, un monument de pierre était pompeusement dédié « À la mémoire des combattants et de toutes les victimes des guerres ». On n'avait pas peur de ratisser large, dans le coin : honneur aux deux côtés du fusil, dans toute l'Histoire et toute la Géographie.

Capestan et Torrez laissèrent un bus manœuvrer pour regagner son terminus et s'engagèrent rue Marceau.

Le pavillon du 30 leur parut vétuste. Étroit, tout en hauteur, il comprenait un étage et un grenier, au vu du vasistas ornant le toit de tuile. En façade, le jaune des volets s'écaillait, le crépi s'effritait et une rigole verdâtre suintait depuis la gouttière. Sur la boîte aux lettres en fer-blanc, l'autocollant « Pas de pub, merci » usé, décoloré, s'effritait dans les coins. La grille rouillée grinça lorsque Capestan poussa le battant. Ils pénétrèrent dans un minuscule jardinet laissé à l'abandon. La commissaire grimpa les trois marches du perron et sonna. Pas de réponse.

— Ça a l'air inhabité, fit Torrez en écrasant les herbes hautes de ses semelles crantées.

— Oui. En tout cas, ce n'est pas entretenu depuis un moment.

Torrez fit un pas et se baissa pour passer la main entre la base du mur et un buis rachitique. Il ramena un vieux bout de Rubalise orange fluo, de ceux qui délimitent les scènes de crime. Il le tint entre le pouce et l'index, à l'intention de Capestan :

— Depuis le meurtre, vous croyez ?

Cela paraissait peu probable. Sept ans. La commissaire réfléchit deux secondes, avant de se décider.

— Je vais poser la question aux voisins. Restez là.

Elle revint quelques minutes plus tard. Au 28, un couple avait emménagé depuis deux ans à peine. C'est la jeune femme qui lui avait ouvert, une petite fille aux couettes dressées comme des palmiers collée à sa jambe. La commissaire avait tendu sa carte de police avec un sourire et la mère avait envoyé sa fille jouer dans le salon.

Les nouveaux venus ignoraient tout du meurtre et Capestan sentit que l'information allait leur gâcher la soirée, voire les prochaines semaines. Mais la jeune femme avait confirmé : ils n'avaient jamais vu personne dans le pavillon d'à côté.

Capestan regagna la maison de Marie Sauzelle devant laquelle Torrez patientait, en grattant machinalement le sol du bout de sa chaussure.

— On entre ? demanda-t-il.

Ils n'allaient pas s'amuser à réclamer l'autorisation d'un juge d'instruction. Capestan hocha la tête. Après un coup d'œil circulaire, le lieutenant sortit son jeu de rossignols et actionna la serrure le plus naturellement du monde.

— Le verrou n'était pas tiré, s'étonna-t-il.

Le bois avait gonflé et la porte racla le parquet en s'ouvrant. Le seuil à peine franchi, Capestan et Torrez pilèrent, sidérés.

Seul le cadavre avait disparu. En sept ans, rien d'autre n'avait bougé. Les tiroirs arrachés, les livres éparpillés, le verre brisé colonisaient encore les sols. Des gants usagés de la Police scientifique traînaient sur la table basse, la poudre des relevés papillaires maculait les poignées et les meubles. Les gars avaient tout laissé tel quel en partant, et aucun héritier, nul agent immobilier n'avait fait toiletter les lieux pour les revendre à prix canon.

— Vous avez déjà vu ça, vous ? Qu'on n'ait pas nettoyé après un crime, au bout de sept ans ? demanda Torrez, ébahi.

— Non. Surtout dans une maison aussi facile à vendre.

Ils démarrèrent leur visite. Depuis les clichés du rapport de police, la poussière avait grisé le décor. Les araignées avaient profité de l'absence de colocataire pour tisser avec ardeur. Anne Capestan tenta de se représenter le corps sur le canapé. En veillant à ne pas écraser les éclats de porcelaine, elle ramassa un cube photo en plexiglas transparent. Marie, en djellaba noir et blanc, perchée sur le dos d'un chameau, posait dans le désert. Sur une autre face, elle riait en se penchant parallèlement à la tour de Pise. Capestan fit tourner l'objet entre ses mains. Le cliché suivant avait jauni, il s'agissait d'un jeune homme avec un air de famille prononcé, le frère sans doute, qui, dressé à côté d'un vélo de course dont il tenait le guidon, exhibait un maillot de cyclisme à pois. Sur la photo suivante, un jeune couple – Marie et un blond élancé – posait sous un pommier. On les retrouvait ensuite, émus, à la sortie d'une église. Pour finir, une photo de Marie, en jean et sandales, buvant de l'eau minérale au goulot devant le palais de Buckingham.

Un homme, quelque part, peut-être dans cette ville, avait assassiné cette dame et sa joyeuse vitalité. Sans en subir, à ce jour, la moindre conséquence.

Capestan rangea doucement le cube dans la bibliothèque, à côté d'une boîte emplie à ras bord de coupons de réduction multicolores. Torrez, cheveux hirsutes, tournicotait dans la pièce, avec son air permanent du type dont on a embouti la bagnole. De mémoire et à voix haute, il récapitula le début du rapport :

— Marie Sauzelle, soixante-seize ans, sœur d'André Sauzelle, soixante-huit ans. Ils sont originaires de la Creuse. De Marsac, précisément. Moi aussi je suis de la Creuse, Dun-le-Palestel, ajouta-t-il, le visage s'éclairant un bref instant, avant de reprendre : Le frère y vit encore. Marie a été mariée, mais peu de temps, son époux est mort à Hanoï pendant la guerre d'Indochine. Pas d'enfants. Elle était institutrice.

Il se tut, et parut réfléchir en survolant le décor. Un détail le perturbait :

— Un cambrioleur qui étrangle, c'est rare.

— Pour faire taire, s'il n'a pas d'arme… C'est plutôt qu'il ait pris le temps de la rasseoir qui sort de l'ordinaire, répondit Capestan en ramassant un bibelot miraculeusement intact pour le replacer lui aussi sur l'étagère.

Rasseoir la victime, une précaution contre-productive qui trahissait le cambrioleur amateur. Apeuré, il étrangle dans l'urgence, puis prend immédiatement la mesure de son geste. Assailli de remords, il cherche à le réparer, comme un enfant recollerait un vase de travers après l'avoir explosé au ballon de foot.

Mains sur les hanches, Torrez inspectait maintenant l'entrée.

— La serrure a été remplacée, mais le verrou est d'origine. Et il est intact. Ça veut dire qu'il n'était pas tiré quand le cambrioleur a forcé la serrure.

— Oui, sinon il aurait fallu le faire sauter, en effet.

Alors qu'elle s'apprêtait à saisir un CD de tango sur un rayonnage de la bibliothèque, Capestan interrompit son mouvement. Elle repensait au rapport de police.

— Le verrou n'était pas fermé, mais les volets, si. C'est curieux. On fait tout en même temps dans une maison. Vous ne croyez pas ?

— Si, justement.

Torrez se tracassait. Il soupira, avant de poursuivre :

— D'un autre côté, les vieilles personnes, ça oublie tout. Dimanche dernier, maman est arrivée chez nous, elle tenait encore son petit sac-poubelle à la main. Elle avait pris le métro, acheté des éclairs au chocolat, tapé notre code et emprunté l'ascenseur sans penser à jeter sa poubelle. Elle l'encombrait, pourtant. Sur le nombre d'éclairs, elle ne s'était pas trompée, remarquez. Ils étaient bons, en plus. Pour retenir les adresses de pâtisserie, ça fonctionne encore bien.

Anne Capestan sourit au lieutenant et à ses préoccupations de bon fils. Il avait sans doute raison. Un oubli. Comme cette télé sur « mute » qui l'avait intriguée : un cambrioleur ne fait pas irruption au moment des prime time – c'est trop aléatoire – mais aux heures des voyous, vers trois heures du matin, quand les mamies ne regardent plus la télé. Ce « mute » ne collait pas, avait d'abord songé Capestan. Mais Marie Sauzelle avait dû monter se coucher en oubliant d'éteindre, tout simplement.

Le cadavre avait été retrouvé sur le canapé, un imposant trois-places à la structure rustique en bois verni. Capestan s'en approcha. Un bout de tissu du dossier avait été prélevé à des fins d'analyse. Sur les accoudoirs et les coussins encore intacts, la commissaire distingua un ornement qu'elle aurait reconnu entre mille : le poil de chat expansionniste. Le velours à grosses fleurs beiges était planté de brins gris et blancs.

Machinalement, elle cueillit quelques spécimens et les fit rouler à l'intérieur de sa paume. Elle ne se rappelait pas avoir lu quoi que ce soit sur la présence d'un animal dans le rapport de police. Où était passé ce chat ?

Capestan gagna la cuisine. Il n'y avait aucune gamelle sur le carrelage en mosaïque. Si le chat avait filé entre les jambes du cambrioleur, les gamelles seraient encore en place. Ça ne collait pas.

Elle retourna dans le salon pour exposer le problème à Torrez. Celui-ci laissa tomber sa conclusion sur le ton de l'évidence :

— Il était mort avant le cambriolage. Et même longtemps avant, si ça se trouve, parce que les poils de chat, c'est comme les poils de lapin, ça met des lustres à se désincruster. Ça ne part jamais, jamais, jamais.

Torrez marqua un temps de pause pendant lequel il vint observer le canapé à son tour. Il reprit avec animation :

— J'en sais quelque chose : mon fils a un lapin. Il l'a appelé Casillas, comme le goal de la Roja. Sauf que lui, sa cage est ouverte. Total, le lapin bouffe tous les fils électriques. Un jour, ça va mal tourner.

Capestan examina Torrez qui secouait la tête de dépit. Pour un homme qui faisait soi-disant cavalier seul, silence des maudits et tout le tralala, il se révélait étonnamment volubile, une fois lancé. Torrez rougit subitement. Il avait trop parlé, trop sympathisé, trop oublié qui il était. Capestan voyait la conscience lui revenir peu à peu. Il fronça les sourcils, baissa le menton et serra les lèvres. Il redevint l'homme trapu, dru de poil et d'approche, boucla ses écoutilles et emprisonna ses ondes noires. Ce parpaing brun ne contenait que des élans brisés. Pour ne pas l'embarrasser davantage, Capestan gravit l'escalier au fond du hall d'entrée.

À l'étage supérieur, un couloir sombre et étroit menait à la chambre. Un rayon de soleil nimbait celle-ci de poussière en suspension. L'odeur de renfermé saisit Capestan à la gorge.

Tapissée de mauve, la grande pièce abritait un lit bateau et sa table de nuit assortie, surmontée d'un crucifix. Au mur, une étagère accueillait une antique collection d'*Astérix*. En édition originale, constata Capestan en sortant un volume. Le parquet poussiéreux glissait sous la semelle de ses ballerines, mais la commissaire s'habituait peu à peu à l'odeur et commençait à relâcher son apnée. Sur la commode, une statuette d'Isis côtoyait un arbre à bijoux garni de bracelets. Capestan écarta les rideaux de dentelle, la fenêtre donnait sur le jardinet arrière, à l'abandon lui aussi. Dans un coin, un arrosoir à la pomme cabossée disparaissait pratiquement sous les herbes folles. Le chemin de gravier était piqué de mousse et de pissenlits. Le jardin ne possédait pas d'issue, le cambrioleur avait forcément utilisé l'entrée principale pour entrer et sortir. Pourtant, il n'y avait pas de témoins.

Capestan relâcha le rideau et se dirigea vers la salle de bains attenante. Les produits de toilette n'avaient pas bougé. Pendant sept ans, le fantôme de Marie avait pu poursuivre son existence sans perturber ses habitudes. Un tube de dentifrice Émail Diamant, un flacon d'eau de rose, une brosse en crin véritable, un savon à la violette et des boules de coton multicolores dans un grand bocal en verre. Il y avait aussi un tube de rouge à lèvres dans une coupelle de faïence bleue. Marie Sauzelle avait été coquette.

Une prise de conscience subite poussa Capestan à retourner dans la chambre : le lit n'était pas défait. Alors Marie Sauzelle était bien en bas, à regarder la télé, quand le meurtrier était entré. Il était venu en début de soirée, à l'improviste, comme un ami de longue date.

Torrez se tenait encore dans le salon quand Capestan redescendit. Sur la canadienne du lieutenant, l'un des passants de ceinture commençait à se découdre et un long fil frisottait. Torrez consulta sa montre. Sans l'ombre d'un sourire, il déclara :

— Douze heures. Je vais déjeuner. On se rejoint au 32, chez Serge Naulin, à quatorze heures ?

Sans attendre de réponse, il passa la porte.

Restée seule, la commissaire Anne Capestan écarta les bras en signe d'impuissance.

10

Deux heures plus tard, à la minute près, Torrez dévalait la rue d'un pas chaloupé de rhinocéros.

— J'en ai profité pour glaner quelques infos, déclara-t-il en se campant sur ses jambes.

Les deux policiers se tenaient un peu en retrait, devant le pavillon de Serge Naulin, l'homme qui avait alerté les pompiers. Une haie de lauriers mal taillée les protégeait des fenêtres du rez-de-chaussée.

— Depuis le meurtre, la maison n'a jamais été proposée à la vente. Je trouvais bizarre qu'aucun squatteur n'ait investi les lieux, alors j'ai posé la question. Figurez-vous que le frère paie quelqu'un pour surveiller la baraque. Pas pu savoir qui.

Ainsi, le frère avait privilégié le gardiennage plutôt que le nettoyage. Original.

Sur la boîte aux lettres, la plaque indiquait « Monsieur Naulin ».

L'homme qui ouvrit portait encore son pyjama sous une robe de chambre lie-de-vin. Bien que mince, il paraissait gras, d'une mollesse adipeuse. Il souleva ses paupières lourdes et étudia Capestan, sourire en coin, en prenant tout son temps.

— Lieutenant Torrez et commissaire Capestan, fit-elle sèchement en exhibant sa carte. On ne vous dérangera pas longtemps, on a quelques questions à vous poser à propos de votre ancienne voisine, Marie Sauzelle. Elle a été assassinée, il y a sept ans. Vous vous souvenez ?

— Bien sûr, répondit-il en les laissant entrer.

Il ne s'était pas suffisamment effacé pour permettre à Capestan de passer sans le frôler. Elle réprima un frisson de répulsion et força le passage sans ménagement.

— La rue a vécu barricadée pendant des mois après cette horrible histoire. Vous désirez boire quelque chose ? proposa-t-il d'une voix suave. J'ai du schnaps ou de la crème de cassis.

— Ça ira, merci, abrégea la commissaire.

De rares poils de barbe déparaient les joues glabres de Naulin. Il avait rassemblé ses longs cheveux clairsemés en une maigre queue de cheval. Il travaillait manifestement cette allure bohème de l'homme qui se veut sensuel et envoûtant. Voyant Torrez équipé de son stylo-bille et d'un carnet, Capestan démarra promptement :

— Vous la connaissiez ?

— Un peu. Nous conversions, parfois… Les usages du bon voisinage, rien de plus.

Il alluma une cigarette, qu'il tint basse entre ses longs doigts. Le filtre disparut à moitié lorsqu'il le porta à ses lèvres carmin.

— Y a-t-il eu d'autres cambriolages dans le quartier, à cette époque ? fit Capestan en détournant le regard de ce spectacle peu ragoûtant.

— Non, juste sa maison. Elle était loin d'être la plus cossue, pourtant.

— Vous n'avez rien entendu cette nuit-là ? Y a-t-il un détail qui vous serait revenu depuis ? Quelqu'un venu en repérage, des rôdeurs…

— Rien, répondit-il dans un souffle de fumée. Rien de spécial.

— Semblait-elle inquiète les derniers temps ?

Naulin s'essuya la commissure des lèvres d'un doigt jauni, il ne prit pas la peine de réfléchir avant de répondre :

— Peut-être. Quoiqu'elle ne fût pas d'un naturel soucieux, vous savez. Désirez-vous des biscuits ? J'en conserve quelques-uns dans une boîte.

Capestan ne désirait ni alcool ni biscuits. Capestan désirait des éléments nouveaux, un détail, n'importe lequel, pour redémarrer cette enquête sur une piste inexploitée. Capestan voulait servir la mémoire de Marie Sauzelle et elle voulait aussi que la brigade réussisse là où d'autres avaient échoué.

Ce Naulin louvoyait, il avait cet air satisfait du type assis sur ses informations et qui se réjouit de les garder au chaud. Capestan laissa tomber les questions sur le cambriolage. Elle bifurqua :

— Des gens en voulaient à Marie Sauzelle ? Dans le quartier, par exemple ?

Mécontent de cette rupture de ton, Naulin prit une profonde inspiration avant de répondre à contrecœur :

— Bien sûr. Elle menait une existence de passionaria et s'entêtait aisément. Au mépris du bien d'autrui parfois. Le consortium immobilier Issy-Val-de-Seine, par exemple, ne la portait certainement pas dans son cœur…, fit-il avec un petit rire dédaigneux.

— Pourquoi cela ?

— Un pôle média supplémentaire devait se construire ici même. Bernard Argan, le promoteur, lui a offert une fortune pour sa bicoque…

— Argan, vous l'épelez comment ? interrompit Torrez.

Capestan le laissa noter avant de reprendre :

— Elle n'a pas vendu ?

— Non… Paix à son âme, elle n'a jamais voulu, la salope.

Torrez redressa la tête, la pointe du Bic toujours plantée sur le papier. Capestan s'efforça de ne pas ciller :

— Votre maison, juste à côté… Elle vous a consulté avant de refuser ?

— Non.

— Vous avez dû perdre de l'argent.

— Deux millions d'euros. C'était une belle offre, à l'époque.

Naulin fournissait sans ambages un joli mobile. Peut-être avait-il organisé ce cambriolage pour effrayer Marie Sauzelle et la pousser à partir. Cela avait pu mal tourner. Mais cette pensée à peine formulée, Capestan n'y croyait déjà plus. Naulin conservait son œil mi-clos de varan, il avait tendu sa perche et guettait l'occasion de la retirer. Il disposait à coup sûr d'un alibi couvrant la période des faits. Elle ne lui fit pas la joie de le réclamer, se contentant de laisser mûrir le silence. Il dut deviner les intentions de la commissaire et enchaîna :

— J'étais à Bayeux, chez mes parents, à cette époque. Je ne suis rentré que deux jours avant de découvrir le corps. Je ne l'ai pas tuée. J'ai bien fait de m'abstenir, d'ailleurs, puisque, comme vous le constatez, son décès n'a rien changé. Pour finir, le pôle s'est érigé près du boulevard.

— Le frère a refusé de vendre lui aussi, n'est-ce pas ?

— On ne peut rien vous cacher.

— Il paie même quelqu'un pour surveiller la maison, ce n'est vraiment pas de chance, ironisa Capestan.

— C'est moi qu'il paie, répondit Naulin en écrasant à moitié sa cigarette dans un cendrier encombré.

— Vous ne bossez pas terrible, releva Torrez, on est entrés dans la baraque en plein jour.

— Je n'ai pas dit qu'il payait bien.

Ainsi, c'était Naulin le chargé de mission de gardiennage. Peut-être s'agissait-il de l'information qu'il couvait avec tant de mystère depuis le début de l'entretien. Ce type ne savait pas grand-chose, mais il l'emballait avec soin pour se gonfler d'importance. Ou peut-être, au contraire, cet aveu était-il l'os qu'il leur consentait. Pour pousser plus avant, Capestan préférait vérifier l'historique du bonhomme. Il était temps de hisser les voiles.

Après quelques questions supplémentaires sur la découverte du cadavre, les policiers s'extirpèrent avec soulagement du canapé en mousse qui les avait engloutis. Ils laissèrent un numéro de téléphone où les joindre, au cas où Serge Naulin recouvrerait mémoire et compassion, et s'enfuirent après les salutations d'usage.

*

Torrez arracha du pare-brise un tract qui promettait des prix incroyables sur l'épilation jambe entière.

— Sympathique le monsieur, non ? demanda-t-il en froissant le prospectus, avant de se diriger vers la poubelle la plus proche.

Capestan ouvrit la portière passager et s'engouffra dans la 306 malgré l'odeur de tabac froid persistante. Quand Torrez se fut installé à son tour, elle répondit :

— Ce type n'est pas net. Sa connexion avec le frère n'est pas nette non plus.

— Vous ne croyez plus au cambriolage ?

— Si, puisque la Crim le dit. Ils ont bossé un moment dessus, quand même. Enfin non, je ne sais pas, admit Capestan en baissant sa vitre pour profiter de la tiédeur de l'air.

Sur une plaque de rue, un autocollant disait « Non ! » à l'austérité. Assises sur un banc du square, à l'ombre d'un platane, deux jeunes femmes bavardaient en berçant chacune sa poussette.

— Il faut qu'on fasse une gamme sur Naulin, il traîne peut-être sa casserole.

— Je m'en charge en rentrant, proposa Torrez, avant de démarrer.

Il se tut le temps de déboîter en prenant garde aux passants qui déboulaient sur la chaussée sans précaution. Puis il reprit :

— Et le frère, sept ans après, il n'a pas vendu ? Il la fait surveiller ? Étrange, comme comportement.

— Le frère. On ne pourra pas se faire une idée avant de l'avoir vu. Il faut qu'on y aille.

— Avec cette voiture ? s'inquiéta Torrez d'une voix qui masquait toutefois mal son excitation de descendre dans la Creuse.

— Train. On louera une voiture sur place. Nos frais de mission ne sont censés couvrir que les déplacements en région, mais ils sont alloués pour quarante flics. Comme on est à peine cinq, ça devrait passer.

Capestan réfléchit encore un instant. Ce serait bien de s'entretenir aussi avec les flics de l'époque, de savoir ce qui les avait amenés à ces conclusions. Un voleur isolé. Elle se tourna vers Torrez :

— Non, en fait je n'y crois pas du tout, au cambriolage.

— Moi non plus.

11

Ils remontèrent les quais de Seine en sens inverse et durent ralentir au niveau de la Concorde. Capestan admira la place, son obélisque et ses réverbères entourés de petites meutes de touristes en Segway. Raides d'appréhension, ils avançaient par à-coups, en se cramponnant au guidon. Ils souriaient sur leur plate-forme ambulante. Ils avaient tout Paris sous les yeux, mais c'étaient leurs grosses roues de caoutchouc sur le pavé qui les épataient le plus. Avec les embouteillages, Capestan avait le temps d'apprécier le manège. Le feu passa enfin au vert et la 306 cala. Torrez toisa le volant d'une expression menaçante, prit une inspiration profonde et actionna la clé. La voiture redémarra alors que le feu passait au rouge. Le concert tonitruant des klaxons ébouriffa à peine les mouettes qui occupaient le pont. Vingt mètres plus loin, un nouveau ralentissement les attendait.

Torrez souffla et tâta le tableau de bord avec impatience :

— On va y aller au gyro…

Il quitta des yeux le trafic un instant pour chercher sur le tableau de bord, puis sous le siège passager. Il n'y avait rien. D'une voix lasse, Capestan confirma :

— On n'en a pas.

— Pas de sirène ?

— Non, pas de deux tons, pas de gyrophare. En tant que brigade supplémentaire, on rentre dans les budgets, mais pas pour tout.

Constatant l'état des bureaux, des ordinateurs et des voitures, Capestan s'était renseignée.

— Pas pour les sirènes alors ?

— Pas pour le matériel. On nous refourgue les excédents. Ou le démodé. Et les sirènes, ça ne se démode pas.

— Comment on va travailler sans ?

— On n'est pas vraiment pressés. Notre affaire date de sept ans. Un peu plus, un peu moins…

La voiture était encore immobilisée et Torrez dévisageait Capestan sans rien dire. Celle-ci ajouta, comme si elle venait de lui annoncer une mutation pour Minsk :

— Je suis désolée.

Torrez revint à son volant. Il tergiversa quelques secondes avant de confesser :

— Vous savez, le poste du répudié, je l'occupe depuis des années. Sauf qu'avant j'étais seul, maintenant on est une brigade. Pour moi, c'est plutôt un progrès.

Les feux stop de la Volvo devant eux s'éteignirent, on repartait. Torrez s'engagea sur la file de droite, veillant à ne pas renverser un vélo qui, contrairement à ce que lui indiquait la piste cyclable deux mètres plus tôt, n'avait rien à faire ici. Torrez avait la tronche du type qui se mâche une phrase. Il hésitait à la cracher, mais ça n'allait pas tarder. Capestan savait exactement laquelle et elle lui donnait jusqu'à Châtelet pour se lancer. Il craqua à hauteur de Saint-Germain-l'Auxerrois.

— Vous avez vraiment tiré sur ce type, alors ? Pour qu'on vous colle là, malgré… malgré avant.

Gagné. Elle en avait plus qu'assez de réciter sa leçon, mais elle se fendit quand même de son couplet :

— Légitime défense.

Torrez, le nez plissé de scepticisme, resta cramponné au volant. La seconde question viendrait bientôt, toujours la même, inévitable. Torrez s'abstint. Il se la réservait pour plus tard.

Ils arrivaient boulevard de Sébastopol. La voiture s'engagea dans le parking Vinci où quelques places étaient dévolues à la brigade. Sur l'une d'elles somnolait une somptueuse Lexus d'un noir rutilant.

— Qu'est-ce que c'est que ça ? demanda Torrez.

— J'imagine que c'est la voiture de Rosière.

— Elle, elle a sûrement une sirène.

12

Quand Capestan et Torrez atteignirent le palier, ils s'aperçurent que la porte était fermée. Avec la clé dans la serrure. Capestan se résolut à sonner pour entrer dans son propre commissariat. Elle entendit aboyer et ne put s'empêcher de penser : « Qu'est-ce que c'est que cette histoire encore ? » Lebreton vint leur ouvrir, un chien furieux à ses pieds. Le commandant hocha la tête et retourna à sa conversation, aussitôt suivi par le petit trot du chien.

Tous rejoignirent Rosière qui avait aménagé son bureau Empire avec opulence : un sous-main en cuir gravé, une lampe en bronze à fausses chandelles, l'abat-jour frappé des abeilles napoléoniennes, et un porte-crayons doré à l'or fin. Elle avait également élargi son territoire sans vergogne, en ajoutant deux fauteuils crapauds capitonnés de satin crème à rayures vertes, face à son propre trône en bois précieux. Dans un de ces fauteuils se trouvait une femme blonde aux cheveux bouclés. Elle tenait à la main un dossier qu'elle faisait tournoyer d'un geste parfaitement maîtrisé. Une nouvelle recrue, se dit Capestan.

— Je l'ai trouvé dans ce carton, expliquait la jeune femme en désignant une boîte marquée « Stups » à ses pieds. C'est le dossier d'une affaire soi-disant classée, sur un dealer qui opère dans le parc Monceau.

En apercevant Capestan, elle se leva.

— Bonjour commissaire, je suis le lieutenant Évrard. J'appartenais à la Brigade des jeux et on m'a mutée ici. Quand j'ai su que c'était vous qui dirigiez le groupe, je me suis dit…

Elle écarta les mains comme pour signifier « Ça se tente ». Tout en se composant une expression accueillante, Capestan révisa sa liste de CV. Évrard, lieutenant, en effet, mais aussi joueuse compulsive, interdite de casinos et placardisée pour magouilles présumées avec les tripots clandestins. Elle avait le visage franc et ouvert, avec de grands yeux bleus innocents. Pas une tête de bluffeuse, et ça avait dû l'aider.

— Bonjour, lieutenant. Heureuse de vous compter dans nos rangs. C'est à vous, le chien ?

— Je vais me faire un café, prévint Torrez avant de gagner la cuisine.

Évrard pâlit subitement. Elle venait de reconnaître la Scoumoune et ses mains partirent instinctivement à la recherche de sel ou d'une amulette quelconque. Elle palpa ses poches et retrouva un semblant de calme. Torrez détourna le regard, gêné, et fila vers son bureau où il disparut.

Capestan insista :

— Il est à qui, ce chien ?

— À moi, répondit Rosière. Ça ne dérange pas ? On dira que c'est un chien policier…

— Il fait vingt centimètres au garrot, votre chien policier.

— N'écoute pas la dame, mon Pilou, elle dit n'importe quoi, fit Rosière à son chien sur un ton faussement consolateur.

Elle ajouta :

— Et puis il a du flair.

Capestan sentit qu'un minimum d'autorité s'imposait. Mais le chien laissa choir son derrière comme s'il pesait trois tonnes. Oreilles et truffe dressées, il la fixait avec passion. Ses grosses pattes et sa tête disproportionnée lui donnaient une allure de chiot éternel. De toute façon, Capestan n'était pas très portée sur l'autorité.

— C'est quoi, comme mélange ?

Rosière énuméra de la main gauche :

— Y a du corgi, le chien de la reine d'Angleterre, un peu de teckel, du bâtard, du corniaud, du clébard. Ce n'est plus un croisement, c'est un échangeur d'autoroute, gloussa-t-elle, contente de sa blague, ou de son chien. Il s'appelle Pilote, mais vous pouvez l'appeler Pilou.

— C'est vrai, je peux ? Il se vexera pas ?

Rosière sourit et se pencha pour gratter le cou de son chien, qui étira le museau au maximum pour profiter pleinement de la flatterie. Capestan allait rejoindre Torrez, quand Merlot apparut sur le seuil. Geste large et panse en avant, il s'adressa au petit peuple :

— Mesdames, messieurs ! Canidés, ajouta-t-il en baissant la tête sur le chien de garde le plus inefficace de la création.

Après quelques ronds de jambe, Merlot mit à profit les présentations pour imposer un baisemain aux malheureuses Évrard et Rosière, qu'il n'avait encore jamais rencontrées. Enveloppé d'une senteur de pinard à décoller les papiers peints, il entama sa conversation mondaine. Il palabra, elles reculèrent, il palabra derechef, elles abdiquèrent. Lebreton, à qui sa haute taille garantissait un air plus pur, l'écouta quelques instants sans trop vaciller, puis se remit à son bureau.

Capestan, profitant d'une seconde de répit, s'adressa à Évrard :

— Le dossier du dealer du parc Monceau dont vous parliez tout à l'heure, c'est un meurtre ?

— Non, une histoire de coke mal coupée. C'est simplement intrigant qu'on ne l'ait pas emballé, on a toutes les infos. Le parc Monceau est plein de gamins, un dealer, ça fait désordre.

— En effet. Je vous laisse voir avec Merlot ?

Ce n'était pas très sympa pour le nez d'Évrard, mais c'était la dure loi des mathématiques. Évrard eut un haussement d'épaules fataliste. Elle connaissait la tyrannie des chiffres.

Île de Key West, sud de la Floride,
États-Unis, le 19 janvier 1991

À travers la vitre blindée, Alexandre soulevait le lingot d'or. C'était à la fois plus lourd et plus doux que ce qu'on imaginait au premier abord. Il s'agissait du clou du musée, l'attraction marketing. À l'entrée, en vous remettant votre billet, on vous collait d'autorité sur la poitrine un petit sticker ovale qui proclamait en lettres noires sur fond or : *I lifted a gold bar.* « J'ai soulevé un lingot d'or. » Ici, on ne venait pas pour rien, il fallait que ça se sache.

Alexandre sentit le contact délicat de la paume de Rosa contre la peau de son bras nu.

— Je ne me sens pas bien…, chuchota-t-elle, comme chaque fois qu'elle voulait le petit déjeuner au lit.

— Si c'est pour que je te pique l'émeraude, c'est non, plaisanta Alexandre, il y a des caméras partout.

— Non. Non. Ce sont les eaux, je crois…, fit-elle en lui serrant le bras plus fort.

À bout de souffle, elle prit appui sur la main d'Alexandre et se laissa glisser sur le parquet, où elle s'allongea. Les eaux. Quelles eaux ?

— Tu ne vas pas accoucher ici ? Maintenant ?

— Si, je crois bien que si.

— On est dans un musée, tu ne peux pas accoucher ici…

La sueur perlait sur le front brun de sa femme, elle souriait mais elle ne céderait pas, elle comptait réellement s'arrêter ici, au milieu des vitrines du Mel Fisher Museum, pour donner naissance à leur fils.

13

Dehors, la brume d'une nuit grise masquait les étoiles. Seul le néon bleu de l'hôtel d'en face éclairait le décor. Assis dans son canapé, pieds nus sur le parquet tiède, Louis-Baptiste Lebreton fumait, toutes lumières éteintes. Il pouvait rester ainsi des heures, avec le témoin de veille du téléviseur piquant de rouge le salon inanimé, réponse statique à la braise palpitante de sa Dunhill. Sa guitare basse, une Rickenbacker 4001, restait suspendue au mur pour ne pas réveiller les voisins. Le verre de l'affiche du concert de Bowie à l'Hammersmith Odeon renvoyait de rares reflets et Lebreton les suivait une heure, parfois deux, jusqu'à s'endormir. Il se réveillait, puis fumait. En général, il attendait six heures du matin. L'heure à laquelle même les gens normaux se lèvent. En ajoutant douche et café, on atteignait les sept heures. C'était bien, sept heures, pour attaquer la journée. Louis-Baptiste ne souffrait d'aucune tâche en retard. Il avait le temps de régler plus de quotidien que la vie ne lui en accordait. Il écrasa sa cigarette et se renfonça dans le canapé pour patienter.

Dans trois heures, il rendrait visite à Maëlle Guénan. Il ne s'intéressait pas vraiment à l'enquête et certainement pas à cette brigade paumée, mais c'était le sens de la marche, alors il avançait, pour se tenir au cadre. Rosière, au moins, était divertissante. Quant à Capestan, il n'en attendait rien.

Sept heures. Dans le tiroir de la commode, les T-shirts de Vincent étaient encore parfaitement empilés. Lebreton avait repassé ceux qui séchaient sur l'étendoir avant l'accident, puis il les avait rangés à leur place. Vingt ans que le mari de Maëlle Guénan avait disparu. Au bout de vingt ans, la douleur est sans doute contenue sous plusieurs épaisseurs de film. Une épaisseur par an, peut-être. Ou non. Lebreton ne savait pas, il espérait seulement.

Lui, au bout de huit mois, avait toujours l'impression de dormir sous un linceul, de se doucher dans un mausolée. Chaque pièce, chaque meuble, chaque grincement du parquet évoquaient le même, exactement le même, un an plus tôt, quand Lebreton aimait ouvrir la porte, que tout dans cet appartement était utile. Aujourd'hui tout était souvenir et Louis-Baptiste ne pouvait ni le quitter ni rester. Ici, chacun de ses gestes était sous-titré. Lebreton se dirigea vers la cuisine pour son petit déjeuner, qu'il prit debout, pour ne pas s'asseoir seul à table.

Ils avaient vécu douze ans ensemble. Pendant ces douze années, Vincent avait coupé son pain au-dessus de l'évier pour ne pas s'embarrasser des miettes. Chaque matin, Lebreton était passé et avait laissé couler le robinet pour chasser ces miettes gorgées d'eau. Aujourd'hui encore, quand Lebreton s'approchait de l'évier le matin, il procédait en biais, écœuré d'avance.

Dans la porte du frigo se trouvait le dernier d'une longue série de bocaux de cornichons vides que Vincent rangeait là en attendant que la providence les jette. Lebreton n'avait plus touché à rien et ce bocal était resté, plein de vinaigre, avec son panier de plastique vert en suspension. Louis-Baptiste, qui ne mangeait jamais de biscuits, conservait dans son placard trois paquets de galettes Saint-Michel, dont un à moitié entamé. Dans la bibliothèque du salon, le tome 1 de la saga *L'Assassin royal* était rangé à l'envers. Le tome 2 traînait encore sur la table de nuit de Vincent, écorné. Cette table de nuit, en réalité, appartenait à Louis-Baptiste qui la tenait de sa famille. Mais il l'appelait « la table de nuit de Vincent ». C'était le côté du lit de Vincent. Lebreton n'avait pas changé ses draps depuis huit mois. Et son verre du vendredi soir avait fait place à son verre du soir. À trente-neuf ans, il était déjà « le Veuf, le Ténébreux, l'Inconsolé », celui qui ne connaît que ce vers de Nerval.

Lebreton enfila sa veste noire et zippa ses boots. Il passa une brosse à vêtements sur l'une et un coup de chiffon sur les autres. Son corps perclus de manque s'était transformé en camisole. Il aurait voulu l'arracher et s'en aller, comme on fuit la capitale pour gagner la campagne. Il aurait aimé quitter son histoire, l'espace d'un week-end. En refermant la porte, il se demanda au bout de combien de temps Maëlle Guénan s'était résolue à refaire son lit.

*

Il pleuvait à seaux. Au café de l'angle en bas de chez lui, il trouva Rosière et son chien en terrasse, abrités sous la bâche. La pluie frappait la toile avec fracas. Rosière essayait d'ôter le papier autour du sucre de son café et la partie ne semblait pas gagnée. Pilou bondit en voyant Lebreton et la table fit une embardée qui renversa la moitié du café. Rosière en fit tomber le sucre et son papier dans la tasse.

— Un problème de réglé, dit-elle avant de lever les yeux vers le commandant.

Maëlle Guénan logeait rue Mazagran, pas très loin, et ils s'étaient donné rendez-vous ici avant d'y aller. Louis-Baptiste s'assit sur la chaise à côté d'Eva, gratta la tête du chien et fit signe au serveur qu'il prendrait un café lui aussi.

— Bonjour Eva. Tu comptes monter avec Pilote ?

— Non, je le laisse dans la Lexus. Pour une demi-heure, avec la vitre entrouverte, j'espère que ça ira. Et puis, ça évitera que je me fasse tirer la bagnole.

L'eau martelait l'auvent et les passants marchaient vite sur le trottoir, certains s'étaient réfugiés sous la porte cochère en face du bar, fixant le ciel pour ne pas manquer la seconde d'accalmie. Un vent violent s'engouffra dans la rue, retournant les parapluies, chassant les prospectus. L'eau des flaques tremblait et un roulement de tonnerre annonça le prochain déluge.

— Il fait sauvage, remarqua Rosière en rassurant son chien, recroquevillé entre ses chevilles.

— C'est drôle, cette expression, ça vient d'où ? demanda Lebreton.

— De la Loire, je suis de Saint-Étienne. Et toi, t'es parigot ?

— Non, des environs de Dijon.

Les parents de Lebreton habitaient une de ces campagnes plates où passent les trains, de celles qu'on fuit adolescent pour rallier les rivages du Marais. Le commandant but son café d'un trait, et mit dans la soucoupe de quoi régler les deux consommations. Comme pour rassembler ses forces avant le prochain assaut, la pluie s'était calmée, ralentissant ses gouttes. Mieux valait en profiter.

— On y va ?

Le chien prit l'invite pour lui et se leva dans l'instant, agitant la queue avec frénésie.

*

— Vous vous souvenez du naufrage du *Key Line Express* ? demanda Maëlle Guénan en préambule.

Rosière avait du mal à se concentrer, sachant Pilou seul dans la voiture. Le pauvre. Avec l'orage, il devait baver d'inquiétude sur les sièges en cuir miel. Et puis, ces débuts d'audition étaient toujours fastidieux, il n'en sortait jamais rien d'exploitable. Rosière en profitait généralement pour se dresser un portrait du témoin, rien de plus. Elle guettait l'instant où l'émotionnel se mettrait à parler. Ce n'est qu'à partir de ce moment-là qu'on obtenait des pistes dignes de ce nom. Merde, la bonne femme avait posé une question, qu'est-ce que c'était déjà ? Ah oui.

— Non, avant l'enquête, ça ne me disait rien.

Maëlle Guénan opina tristement. À presque quarante-quatre ans, elle portait un jean brodé de papillons multicolores. Son pull en coton mauve était trop grand pour elle et les bouloches avaient grisonné aux coudes. Elle sourit, repoussa sa frange d'une main aux ongles rongés et rassembla ses pieds l'un contre l'autre. Sur les lacets de ses baskets brillait un écusson en forme d'étoile argentée.

— Moi non plus, je dois le reconnaître, ajouta Lebreton du haut de sa stature de Roi-Soleil.

Ce Lebreton, quel gâchis quand même, songea Rosière. Même l'œil réservé de Guénan avait brillé en apercevant la bête.

— C'est fou, nota Maëlle. Vingt ans après, plus personne ne s'en souvient. On se rappelle le *Concordia*, à la rigueur l'*Estonia*, mais le *Key Line*, rien. Trop loin, ou pas assez de morts. Quarante-trois pourtant. Vous vous rendez compte ? Quarante-trois morts. Peut-être qu'il y avait trop peu de Français parmi les victimes.

Une toile cirée fleurie recouvrait la table de la salle à manger où Maëlle les installa. On pouvait sentir le moelleux du bulgomme dessous. Les coins étaient percés par l'usure et révélaient les angles en bois sombre de la table. Les chaises paillées menaçaient de s'effondrer et Rosière comme Lebreton se tinrent immobiles, vigilants. Trois faux hublots en laiton s'alignaient le long du mur. En dessous, plusieurs cadres photos dorés montraient l'évolution d'un garçon devenu un beau jeune homme : sûrement Cédric, le fils. Sur une console, un instrument bizarre, muni d'une grille, en laiton elle aussi, attira l'attention de Rosière. Une boussole, estima-t-elle.

— Je vous sers un cidre ? proposa Maëlle d'une voix si douce qu'il leur fallut tendre l'oreille.

Du cidre ? C'était ça, la pochtronne ? Du cidre ? Ben mon vieux, les réputations se fondent sur n'importe quoi. Rosière s'apprêtait à saisir le machin-boussole pour voir, mais le regard de Lebreton la stoppa en plein élan.

— Deux cidres, ce serait très aimable en effet, dit-il avec son timbre mi-velours, mi-cassé.

Maëlle semblait vivre chichement. Elle avait une mine à redouter l'ouverture de sa boîte aux lettres. Dans un coin de la pièce, à côté d'un parc à barreaux blancs, un caisson en plastique transparent rassemblait des peluches, des cubes de couleurs, des jouets éraflés. Ses outils de nounou. Quand Maëlle fut de retour avec sa bouteille de cidre entamée et qu'elle eut rempli les verres, Lebreton reprit le fil :

— Votre mari était à bord lors du naufrage, c'est bien cela ?

— Depuis, il n'était plus le même, commença-t-elle en s'asseyant sur le bord de sa chaise.

Ses yeux restaient attachés au verre entre ses mains.

— Il ne pensait qu'à ça, il se réveillait à quatre heures du matin en sueur. Il en parlait sans cesse, la panique à bord, les gens qui hurlaient, qui marchaient les uns sur les autres. Certains se murent dans le silence après un traumatisme, lui, c'était l'inverse. Je crois qu'il m'a raconté l'histoire de tout le monde sur ce ferry. Des semaines à ne parler que de ça. Il n'écoutait même plus notre fils quand il rentrait de l'école. Le soir, devant la télé, ça pouvait le prendre au milieu du film, il nous expliquait qu'il avait vu une fille envoyer un coup de poing sur le visage d'un papy. Il me réveillait en pleine nuit pour me parler des scènes qui lui revenaient, d'un homme qui avait sauté par-dessus bord en criant « Mes lunettes, mes lunettes ! », en plaquant ses mains sur son visage pour être sûr de ne pas les perdre, tandis que son épouse tentait d'agripper une bouée. Les femmes qui piétinaient les ados, les hurlements dans toutes les langues et bien d'autres horreurs. C'était éprouvant de l'écouter. Bien sûr, Yann avait observé quelques comportements héroïques, ou simplement altruistes. Mais ça, ça ne le hantait pas, il en parlait moins. Si, il aimait bien l'histoire d'une Française à qui son mari avait crié : « Sauve ce que tu peux » et qui, dans la panique, avait emporté le premier truc qui lui tombait sous la main : une salière en plastique. Yann était retourné les voir après le naufrage. Elle avait conservé la salière dans une vitrine. « Je l'ai préférée à mes bijoux, j'imagine qu'elle a de la valeur », avait-elle dit. Yann aimait bien ce couple.

Lebreton se pencha en avant :

— Personne au cours de ce naufrage n'a eu à se plaindre de votre époux ?

— Non, personne. Et après avoir reçu les témoignages de sympathie des rescapés à son enterrement, je suis formelle à ce sujet : Yann s'est comporté en vrai marin.

Rosière observait le papier peint ocre du salon. Ça donnait de la gueule à une pièce, la tapisserie, ça faisait plus propre, plus fignolé.

— Quelqu'un aurait pu lui en vouloir ? demanda Lebreton d'une voix douce.

— Vous plaisantez ?

La brusquerie du ton tira Rosière de ses rêveries décoratives. On touchait au cœur de la révolte, les accusations allaient jaillir. Maëlle Guénan n'en revenait pas qu'on s'interroge encore :

— Jallateau ! Tout est de la faute de Jallateau, le constructeur du bateau. C'est forcément lui qui a commandité le meurtre ! Pour les armateurs étrangers, il lésinait sur les contrôles et les matériaux. L'étrave était trop fragile, elle a cédé et elle a embarqué la rampe de proue. Avec la voie d'eau, le ferry s'est allongé sur le flanc en moins d'une heure. En plus, la sonorisation à bord était défectueuse, les passagers ne savaient pas quel pont rejoindre. Yann voulait porter plainte contre ce margoulin. Il montait un dossier, il a contacté Américains, Cubains, un maximum de passagers pour qu'ils témoignent. Il est allé voir les Français un à un, ça lui a pris des semaines. Il avait préparé un document épais comme ça, dit-elle en écartant son pouce et son index de cinq centimètres. Ensuite, il s'est rendu à Saint-Nazaire pour le montrer à Jallateau. Et trois jours après, il est mort. Pas de maladie, pas d'accident. D'une balle de pistolet.

Elle les fixa tour à tour de ses yeux clairs d'eau de rivière. Elle était épuisée par tant d'injustice, fatiguée de la lourdeur et de l'inaction.

— Et, à ce jour, personne n'a été arrêté, acheva-t-elle.

*

Quand Rosière et Lebreton débouchèrent dans la rue, l'eau dégoulinait encore le long des vitrines, mais un soleil volontaire crevait les nuages anthracite.

— Jallateau, le puissant, contre Guénan, l'insoumis. L'histoire du mec qui part seul en guerre avec sa bite et son couteau, ça pue toujours le drame, commenta Rosière en se mouchant. D'un autre côté, le constructeur devait bien se douter qu'il passerait au hit-parade des suspects.

La capitaine roula le mouchoir en boule avant de le glisser dans sa manche. Elle eut un pincement de joie en apercevant la Lexus et son chien intacts. Pilote bondit et macula les vitres de salive.

— Les enquêteurs n'ont trouvé aucune preuve contre lui, répondit Lebreton. Mais il aurait pu embaucher de la main-d'œuvre. Peut-être même que cette main-d'œuvre s'est spontanément présentée. Un procès risquait de coller des hommes au chômage. Quand ils l'ont vu débarquer avec son dossier sur le port industriel, ça a dû leur donner des suées.

— Ouais. Et le marin, c'est pas toujours fin.

— Contrairement aux policiers, vu qu'ils ont résolu l'affaire en moins de deux, ironisa Lebreton.

D'un hochement de tête, Rosière fit amende honorable.

— L'entreprise de Jallateau est installée aux Sables-d'Olonne maintenant, reprit-il. Ça a dû le dégoûter des ferrys, il s'est reconverti dans le catamaran de luxe. Je pense qu'une journée en bord de mer s'impose.

— Tu m'étonnes. Il était pas mal, le papier peint de son salon, t'as pas trouvé ? fit Rosière. C'est ça qu'il faudrait au commissariat.

Évrard referma la porte sur sa chambre d'adolescente, son plafond étoilé, son poster de *Casino* de Scorsese et son lit à une place. Depuis six mois, elle avait réintégré l'appartement de ses parents. Elle se dirigea vers l'entrée et décrocha son coupe-vent du perroquet en bois verni. Avant de sortir, elle passa une tête dans la cuisine pour souhaiter une bonne journée à sa mère. Celle-ci lui répondit de bien travailler.

Une fois sur le trottoir, Évrard contrôla distraitement le contenu de sa poche à travers le tissu déperlant. Son euro fétiche s'y trouvait bien. Son dernier euro, celui qu'elle n'avait pas joué, celui sur lequel rebâtir sa vie. Parfois, elle était tentée de le jeter à la Seine, juste pour voir. C'étaient des conneries, tout ça. Même la pire des joueuses sait qu'on ne reconstruit pas une vie sur un euro. La vraie question était : sur quoi la redémarrer, alors ?

14

— Bon, il refuse, annonça Capestan en entrant dans le bureau de Torrez.

— Il vous l'a dit directement ?

Le lieutenant posa ses coudes sur les feuilles d'impression qui encombraient son bureau, il semblait surpris que Valincourt ait même accepté de la prendre au téléphone.

— Non, j'ai eu un de ses assistants. Le divisionnaire avait laissé un message : il ne peut pas nous recevoir pour l'instant, mais qu'on n'hésite pas à le contacter ultérieurement ou à lui adresser un rapport de synthèse, etc.

Capestan soupira. De tous les flics rattachés au dossier Sauzelle, le seul à se trouver encore dans la région était Valincourt. Déjà grand manitou à l'époque, il avait plus chapeauté que véritablement enquêté, et sans doute ne se souvenait-il pas de grand-chose. Mais surtout le divisionnaire n'était ni le plus disponible ni le plus avenant des occupants du 36.

Torrez eut le haussement de sourcils résigné du type qui n'a jamais essuyé que des refus de ses collègues. Il adressa un léger sourire à Capestan puis reprit sa gueule d'oursin pour étudier le casier judiciaire de Naulin.

Plantée là en attendant qu'une décision s'impose à elle, la commissaire regardait Torrez sans le voir. D'après l'assistant, Valincourt se trouvait en ce moment au stand de tir, porte de la Chapelle. En d'autres circonstances, elle aurait pu y débarquer et jouer la rencontre fortuite, mais en l'occurrence, désarmée, elle n'était plus censée fréquenter les lieux. Valincourt saurait qu'elle venait lui forcer la main. Au fond, quelle importance.

— Je vais le voir, déclara-t-elle soudain. De visu, ce sera plus délicat de m'envoyer promener.

— Si vous le dites, marmonna Torrez, rompu à tous les vents.

*

Arrivée porte de la Chapelle, dans un Paris débarrassé du moindre charme, Capestan passa sous la bretelle d'accès au périphérique et se rendit au pied d'un parking aérien désaffecté. Elle sonna au vieux bouton d'interphone sans étiquette et, après avoir décliné son identité, elle poussa la porte en acier. Le stand de tir se trouvait au dernier étage. L'ascenseur tagué était en panne et Capestan grimpa les escaliers, suivant machinalement les flocages de revolver qui fléchaient le parcours. À chaque étage, les portes d'accès étaient murées de parpaings, derrière lesquels on devinait l'immensité des places de stationnement vides, alignées dans le noir. Cet endroit donnait vraiment envie d'un flingue.

À l'entrée, elle confia sa carte d'identité au papy souriant derrière son hygiaphone. Au-dessus de la banque, le noir et blanc des écrans de surveillance grésillait. Le vieil homme masqua difficilement son étonnement de la revoir ici et bafouilla quelques mots qu'elle ne comprit pas. Dans le doute, elle hocha la tête et s'avança vers la grande salle éclairée aux néons qui tenait lieu de club-house.

Il n'y avait quasiment personne, le billard et le baby-foot étaient libres. Une rangée d'affiches des films de James Bond habillait les murs et quelques plantes vertes en plastique assuraient les rares touches de couleur du décor. Deux hommes s'entraînaient sur le pas de tir dont la vitre donnait sur la salle, à la façon d'un quelconque terrain de squash.

Mal à l'aise, la commissaire ressentait physiquement l'absence du Smith & Wesson à sa taille. Telle une championne de nage libre se retrouvant sans maillot devant le bassin, elle se tint sur le seuil et s'efforça au maximum de dignité en cherchant Valincourt du regard.

Il se tenait seul à une table pour quatre, la mallette contenant ses armes posée sur la chaise à ses côtés. Un gobelet de café à la main, il lisait le journal. Derrière lui, la grande vitrine des coupes et médailles du club semblait glorifier son statut de poulet alpha. En levant les yeux, il l'aperçut et une moue de contrariété tordit brièvement sa belle gueule de Sioux. D'un signe discret de la main, il l'invita néanmoins à s'asseoir, présumant des raisons de sa visite.

Capestan s'approcha, tout sourire. Une opportunité d'obtenir des informations se présentait, il s'agissait de la saisir avec un maximum de délicatesse. Elle s'installa rapidement sur la chaise qui faisait face à Valincourt, tournant le dos à la salle.

— Bonjour, monsieur le divisionnaire, et merci de…

— Faites concis.

Luttant déjà pour ne pas se froisser, Capestan acquiesça et coupa au plus court :

— Comme je l'ai expliqué à votre assistant, on reprend le dossier de Marie Sauzelle, assassinée en 2005 à Issy-les-Moulineaux. C'est un peu loin, je sais, mais vous étiez sur l'affaire et je me demandais si vous en aviez conservé des impressions.

Valincourt fouilla sa mémoire quelques instants.

— Oui, Marie Sauzelle… Il y avait une vague de cambriolages dans la région à ce moment-là. Des novices isolés qu'un gros receleur avait placés sous sa coupe. La pauvre dame a entendu quelque chose, le gars a paniqué, il l'a tuée.

Valincourt secoua doucement la tête :

— À son âge, elle n'avait aucune chance.

Il semblait réellement écœuré. Il affichait le regard caractéristique du flic perdu dans ses souvenirs, occupé à ressasser la longue liste des types qu'il n'est pas parvenu à arrêter. Malgré sa rigidité, le divisionnaire dégageait une certaine tristesse et Capestan s'étonna de voir poindre un homme derrière le totem. Elle n'en perdit pas pour autant le fil de ses idées.

— Pour un débutant, c'est curieux, le cambrioleur n'a pas laissé de traces…

— Qu'est-ce que vous voulez que je vous dise, c'était un débutant avec des gants. Depuis les séries télé, c'est à la portée du premier débile venu.

— C'est vrai. Et Marie Sauzelle, c'était quel genre de femme ?

— Quand je l'ai connue, elle était plutôt morte, vous savez, lâcha Valincourt.

Évidemment, pensa Capestan. Ce n'est pas ce qu'elle avait voulu dire, et il le savait. Le bref entretien que le divisionnaire consentait à accorder ne se transformerait pas en conversation. Du factuel, rien que du factuel. Capestan enregistra le message.

— J'imagine bien, je parlais des témoignages que vous avez dû recueillir à l'époque.

— Les témoignages, vous savez… Mais pourquoi voulez-vous dresser la personnalité de la victime sur un cambriolage ?

On y était. Les prochaines questions allaient d'une façon ou d'une autre remettre en cause le travail de la Crim. Soit le divisionnaire avait lui aussi noté quelques incohérences et il aiderait peut-être la brigade, soit il était convaincu du bien-fondé des conclusions de son équipe et il la protégerait coûte que coûte. Quitte ou double.

Les phrases et leurs délicates formulations tournicotaient dans l'esprit de Capestan, lui donnant l'impression de manipuler une pelote d'épingles impossibles à saisir. Finalement, elle prit une discrète inspiration et se lança :

— En fait, à mon avis, il y a plusieurs détails qui ne collent pas parfaitement avec la thèse du cambriolage. Le verrou, par exemple…

L'œil de Valincourt prit soudainement cette lueur de mépris réservé à la valetaille.

— Attendez attendez, commissaire Capestan, que je sois bien sûr de comprendre : vous insinuez que notre enquête a manqué de sérieux ?

Il se braquait. Il fallait rectifier le tir, sous peine de voir l'échange se clore prématurément.

— Non, pas du tout. Je m'interroge simplement...

— Vous vous interrogez ? coupa le divisionnaire.

Le visage impassible, Valincourt débita sa pensée avec un calme réfrigérant :

— Écoutez, je conçois qu'enfermée dans votre trou à rats vous éprouviez le besoin de vous occuper, et la remise en cause des prédécesseurs est la distraction favorite des médiocres. En revanche, votre brigade, c'est un placard, pas du tutorat. Alors ne m'obligez pas à perdre mon temps avec vos « interrogations ». Vous vous proposez de combler nos lacunes ? Je vous en prie, jeune fille. Mais ayez au moins la décence de ne pas réclamer notre aide.

« Jeune fille », pourquoi pas « Beauté » tant qu'on y était, pensa Capestan. Le seigneur commençait à lui courir sérieusement sur le joug. Elle résista néanmoins à l'envie de se cabrer et de lui donner du « mon vieux » en retour. Elle acquiesça en silence. Sur le fond, il avait raison. Elle avait accepté les risques d'un camouflet en se présentant sans invitation.

Elle n'avait obtenu aucune info, mais elle pouvait déjà repartir.

La salle commençait à se remplir. Un policier à la gestuelle faussement décontractée vint saluer Valincourt avec cérémonie. Crâne rasé, blouson de cuir, il portait une housse d'instrument qui contenait plus sûrement un fusil d'assaut et des cartouches qu'une guitare folk et des partoches de Renaud. En découvrant la commissaire, il marqua un léger sursaut d'étonnement et repartit un fin sourire aux lèvres. Tout comme les deux collègues qui lui succédèrent. Capestan fulminait.

Elle se leva et tendit une main de politesse forcée.

— Je vous laisse, monsieur le divisionnaire. Merci pour votre collaboration.

Il serra la main tendue et lui adressa un sourire mécanique. Il hésita une seconde avant de concéder :

— Si vous devez à tout prix chercher ailleurs, voyez le frère. Mais méfiez-vous de lui, c'était une teigne.

Capestan hocha la tête. Puis, sous l'œil amusé de ses collègues, elle se dirigea vers la sortie, l'orgueil hérissé. Elle ouvrait la porte, quand elle identifia le bruit caractéristique d'une salve de pistolet-mitrailleur Beretta. Un frisson d'envie lui parcourut l'échine.

15

En ce début d'après-midi, assis sur un banc du parc Monceau, Évrard et Merlot étaient occupés à surveiller un junkie. En réalité, Merlot se piquait d'initier Évrard aux subtilités du jeu d'échecs. Celle-ci l'écoutait patiemment en se disant que ce type n'était pas foutu de distinguer le trois du cinq aux dominos. Mais l'air était doux et le parc joli, alors Évrard se bricolait une martingale en étudiant l'alternance de poussettes et de survêtements, de jupes et de pantalons. Rien de sociétal dans ses observations, juste des chiffres et la voix de Merlot en fond pour jouer le croupier.

En face, le junkie se grattait distraitement l'intérieur du bras, tout en tapant du pied. Il s'impatientait et se demandait ce qu'il faisait dans un jardin du VIIIe. Il jeta un coup d'œil nerveux dans leur direction et, curieusement, leurs silhouettes semblèrent le rasséréner. Évrard coula un regard oblique à son voisin et à son pantalon jauni, revint vers ses propres Converse noires d'usure et se demanda, une fois de plus, ce qu'elle faisait de sa vie. Deux poussettes, un pantalon, trois survêtements, une jupe.

Un homme avançait à grands pas dans l'allée principale. Évrard se tint sur ses gardes. Rien ne le distinguait vraiment de la masse, il était juste moins repassé, plus gris. Et surtout il hurlait « Enculé ! Enculé ! Enculé ! » aux arbres, à l'air, aux gens. Encore un que Paris avait cramé. Évrard envia subitement son absolue liberté. Chuter sans réserve, couper le dernier fil, celui de la retenue. Elle se grisa de l'idée, puis expira pour revenir au réel. La filature, un métier, la reprise. Son collègue, Merlot, qui lui parlait.

— Là, j'avance ma tour, et devinez ce que l'impudent ose rétorquer : Pas de diagonale. Vous rendez-vous compte ? En public !

Évrard opina du chef, mais son attention se reporta sur le camé qu'ils surveillaient. Il s'était redressé, quelqu'un arrivait sûrement. Gagné : un jeune homme au teint de rave, vêtu d'un blazer, d'un jean slim et d'une cravate fine s'installait sur le banc du junkie. Ils faisaient semblant de ne pas se connaître tout en se parlant, c'était ridicule. Comme ça, la mine dégagée, au beau milieu d'un parc, assis sur un banc, ils échangèrent soudain une poignée de main. Les billets dépassaient des doigts et on entendait d'ici le craquèlement de l'alu autour du sachet de coke. On tenait vraiment des crétins de première et Évrard se demanda comment ce type ne s'était pas fait serrer plus tôt. Il quitta le banc et Évrard poussa discrètement Merlot du coude. Celui-ci sursauta :

— Mais enfin qu'est-ce qu'il vous prend ?

Voilà sans doute pourquoi même des crétins pouvaient passer à travers. Évrard désigna le dealer du menton et Merlot se hissa péniblement pour entreprendre la filature. Alors que leur cible s'arrêtait et relevait ses lunettes aviateur pour étudier son smartphone, Merlot stoppa net.

— Inutile de le suivre plus longtemps, je connais son adresse. Villa Scheffer, dans le XVIe. C'est le fils Riverni.

— Riverni… Il est pas ministre ou un truc comme ça ?

— Secrétaire d'État.

— Je comprends mieux l'affaire classée. Ce dealer, je ne lui trouvais pas une tête à courir vite. Encore moins à traverser les mailles du filet. Eh bien voilà. On prévient Capestan.

— Absolument. Y a un café au coin, ils doivent avoir le téléphone.

Évrard se garda de signaler qu'elle disposait d'un portable, comme tout le monde. Entre collègues, il faut savoir rester amical. Elle entra au café Carnot et commanda un kir framboise. Merlot rayonnait : une affaire rondement menée, dont tout le mérite lui revenait.

16

Capestan s'extirpa de l'ascenseur en tirant un caddie de toile rose foncé rempli de bûches jusqu'à la gueule. Elle entra dans le commissariat à reculons et fit rouler son fardeau jusque devant la cheminée. Une forte odeur de cire imprégnait l'atmosphère et le parquet luisait comme un marron frais sorti de sa bogue. Un balai-brosse emmitouflé dans un chiffon imbibé de cire liquide était posé contre le mur, derrière la chaise de Lebreton. Capestan salua le commandant, ainsi que Rosière qui égouttait un sachet de thé au-dessus de sa tasse, Pilou calé sur son escarpin bleu. Ils la saluèrent en retour. Torrez comme Orsini se retranchaient certainement dans leurs bureaux respectifs. La commissaire déplia le pare-feu en cuivre qu'elle avait glissé sur le côté du chariot, ôta son trench, puis commença à empiler les bûches à droite de la cheminée.

— Alors ? demanda Rosière en lâchant le sachet dans la corbeille de cuir vert au pied de son bureau. Ça se présente comment, la mamie ?

— Ça se présente flou, pour l'instant. Demain, on part en Creuse pour interroger le frère. Et vous, le marin ?

— La veuve est persuadée que c'est un constructeur vendéen qui a fait le coup. Nous, c'est direction le bord de mer. Mais après-demain seulement, on avait besoin d'un rendez-vous.

— Chacun sa journée de vacances. Vous y allez en train ? On a un budget, si vous voulez…

— Non, en voiture, je préfère et ça ne dérange pas Louis-Baptiste, fit Rosière en jetant un regard à celui-ci.

Il hocha la tête pour confirmer. Le chien, intrigué, trottina jusqu'aux bûches et les renifla avec l'intention manifeste d'y ajouter du liquide inflammable.

— Non, Pilou. File ! ordonna Capestan en pointant du doigt le bureau de Rosière.

La truffe du chien suivit instantanément le trajet du doigt, mais les pattes, elles, ne bougèrent pas d'un iota.

— Tout le chien, Pilou, pas que la tête, insista Capestan.

Le chien obtempéra d'autant plus volontiers qu'arrivait quelqu'un de tout neuf : Évrard accrochait son coupe-vent bleu marine au portemanteau de l'entrée.

— Bonjour commissaire, on a logé le dealer, fit-elle. Villa Scheffer dans le XVIe.

Une bûche dans chaque main, Capestan se fendit d'un grand sourire à l'intention du lieutenant :

— Magnifique ! Travail rapide, efficace, la Nation vous en sait gré, lieutenant.

Évrard eut une moue désolée. Pour une fois qu'on louait ses compétences, elle devait tempérer :

— Oui, enfin, inutile de s'emballer. C'est le fils du secrétaire d'État aux personnes âgées Riverni. Ce qui explique sans doute que le dossier roupillait au fond d'un carton. Je suppose qu'on ne peut pas l'appréhender.

— Mais si, mais si, affirma Capestan sur un ton résolument optimiste. S'il sort de chez lui avec du matos, vous l'embarquez.

Les rayons d'un soleil étincelant emplissaient la pièce, cognant jusque sur les murs du fond qui semblaient s'épanouir sous leur chaleur. Ce n'était pas une journée à douter.

— Commissaire, sans vouloir vous contredire, si le dossier est là, c'est qu'il y a deux ans, une vraie brigade a été obligée de renoncer. Alors qu'elle était vraiment en exercice, elle. C'est pas pour nous laisser faire, nous.

— Nous aussi, nous sommes en exercice. Je ne dis pas qu'on va y parvenir, je dis qu'on va essayer. Personne ne nous stoppe, on avance.

C'est ainsi que fonctionnaient les choses. On rencontrait déjà assez d'obstacles sans avoir besoin de s'en fabriquer soi-même. On verrait le moment venu.

Évrard ouvrait grand ses yeux bleus innocents, mais elle renâclait. Elle n'avait pas très envie de se déplacer dans le XVIe, de parlementer des heures avec un avocat de famille, pour finalement se prendre un savon et repartir bredouille. Capestan comprenait sa position, sa propre séance avec Valincourt ne l'avait pas enchantée, mais la brigade ne devait pas se résigner à son sort, ni baigner dans cette apathie qu'on leur souhaitait. S'ils commençaient à abdiquer sans même qu'on le leur ordonne, autant rester chez soi tout de suite.

— On n'a même pas de cellule, fit Évrard en désignant l'appartement.

Capestan posa les bûches qu'elle tenait, se frotta les mains l'une contre l'autre et prit un couteau suisse dans son énorme sac à main. Elle partit directement vers les toilettes, démonta le loquet en arrachant à moitié les vis et le revissa sur la porte d'une des chambres du fond. Elle revint dans le salon en refermant le couteau :

— Voilà une cellule. Ça ira très bien dans un premier temps. Vous serrez ce Riverni en flag, en bons flics que vous êtes. S'il y a la moindre complication, vous jouez les imbéciles, et vous m'appelez.

Un léger sourire flotta sur le visage de Lebreton qui n'en perdait pas une miette. Évrard, sceptique, s'isola néanmoins pour téléphoner à Merlot, qui était resté au café Carnot « au cas où ».

Capestan n'avait pas prévu qu'une arrestation se profilerait si tôt. Elle aurait préféré prendre ses marques quelque temps encore avant de se lancer dans la partie et de défier les forces hiérarchiques. Mais vis-à-vis de l'équipe, elle ne pouvait pas se permettre de botter en touche. Admettre que les enquêtes étaient vaines, c'était signer l'arrêt de mort des derniers petits bourgeons de motivation. Cette brigade devait servir à quelque chose. À quoi exactement, elle le saurait dans quelques heures. Elle serait au moins fixée sur leur champ d'intervention. Son regard croisa de nouveau celui de Lebreton. Le commandant tapota son stylo contre le rebord de son bureau et pencha la tête sur le côté pour signifier que, tout comme elle, il attendait le verdict. Elle sourit rapidement et retourna à son caddie.

Du fond, elle extirpa deux chenets, façon bustes de déesses antiques. Elle les aligna de chaque côté de l'âtre, parfaitement parallèles, puis frotta de nouveau ses mains pour éliminer la fine poussière de rouille qu'ils avaient déposée. Rosière vint admirer l'installation.

— C'est classieux. Moi, je verrais bien un grand miroir au-dessus pour aller avec. Dans un cadre doré.

Rosière n'avait pas vraiment besoin qu'on l'encourage dans cette voie, mais Capestan acquiesça du menton. Par principe, elle s'abstenait de brimer les bonnes volontés.

— Vous avez ça ? demanda-t-elle.

— Bien sûr, je passe un coup de fil, fit Rosière d'une voix importante en saisissant le téléphone filaire sur son bureau.

Le combiné coincé contre son épaule, elle ajouta :

— Il faudrait un lustre assorti.

— Un lustre ?

Capestan sentit souffler les premiers vents de l'ouragan. Sachant pertinemment qu'elle libérait une machine de guerre, elle déclara pourtant :

— Si ça vous fait plaisir…

17

Une heure plus tard, un miroir en bronze doré et son lustre à pampilles étaient apparus dans le salon. Capestan et Rosière fêtaient l'événement en sirotant un thé brûlant sur les transats de la terrasse. C'était un automne tempéré, parfait pour combiner les plaisirs du feu de cheminée et du balcon. Le brouhaha des Parisiens qui traînaient autour de la fontaine montait vers les toits ; des rires, des éclats de voix, des sonneries de portables, les bips des Vélib' et le froissement des ailes de pigeons. Deux djembés dialoguaient mollement au loin, leur rythme accompagnait les balades de cette mi-journée. Lebreton vint s'accouder au parapet de pierre pour allumer sa cigarette. Dans la douceur de l'air, la pause s'éternisa, le couperet du téléphone refusant de tomber. Puis la sonnerie retentit enfin et Capestan se leva, en bon soldat. Le verdict de Buron s'annonçait.

Elle inspira et décrocha. C'était effectivement le directeur et sa voix ne respirait pas l'amabilité :

— Vos flics sont chez Riverni, c'est ça ?

— C'est ça. Contrairement à votre propre fils surdiplômé et parfait en tout point, monsieur le directeur, le rejeton Riverni, lui, refourgue de la coke assez bas de gamme…

— Capestan, vous cherchez quoi au juste ? Je vous interdis de l'appréhender ou même de le convoquer.

— Pardon ?

— Aucun juge d'instruction ne vous suivra. Déjà à l'époque, avec de vrais policiers…, commença Buron avant de se reprendre. Enfin, tout cela a déjà été tenté, inutile de vous fatiguer.

— Ça ne me fatigue pas. Je suis en pleine forme.

— Capestan, je vous prie, épargnez-moi votre numéro. Vous voulez savoir jusqu'où vous pouvez aller ? Je vais me montrer on ne peut plus clair : les magistrats ne connaissent même pas votre brigade. Elle n'a pas les épaules pour ce genre d'affaire.

Cette dernière phrase resta coincée en travers de la gorge de Capestan. Elle entendit le silence puis la tonalité au bout du fil et se résolut à raccrocher. On ne luttait pas contre un parquet inaccessible.

Elle avait beau s'y attendre, une chaleur brute lui monta au visage. Elle était vexée. C'était le jeu promis par Buron, certes, mais elle admettait mal qu'on lui claque le beignet aussi vite. Cette brigade valait mieux que ça. Ferait mieux que ça.

L'adrénaline moussa dans ses veines. Capestan prit une profonde inspiration et expira pour dégager les voiles sombres qui envahissaient son cerveau. Elle devait réfléchir et contourner les barricades dressées par le directeur. Debout dans le salon, elle cria à la cantonade, espérant être entendue de la terrasse jusqu'aux bureaux du fond :

— Quelqu'un connaît le divisionnaire Fomenko, ici ?

Un silence suivit sa question et elle s'apprêtait à la reformuler, quand Rosière, tasse en main, ondula jusqu'au salon, un sourire lourd de sous-entendus plaqué sur le visage :

— Moi, je connais bien le dragon, glissa-t-elle d'une voix rauque.

Capestan ne voulait pas en savoir davantage, mais ça tombait extrêmement bien.

— Écoutez, Buron refuse de nous laisser serrer Riverni. La brigade est obligée de se coucher, officiellement du moins. Mais aux Stups, ils auront sans doute des arguments supplémentaires. Fomenko a conservé la faveur des hommes de son ancienne brigade. Il pourrait peut-être les pousser à se charger du garçon ou, à défaut, nous donner un coup de main. Mais avant, faut le convaincre. Ça vous paraît réalisable ?

— Oui. Pourquoi pas, répondit Rosière, l'air songeur. Mais c'est pas très important, cette histoire de revendeur, si ?

— Si. Si on renonce aussi facilement, ça discréditera toutes nos actions à venir. On va passer pour des charlots.

— Et nous ne sommes pas des charlots…, railla Rosière.

— Exactement.

Du pouce de la main opposée, Capestan suivait la cicatrice le long de son index, fin souvenir d'une chute en patins à roulettes, la première de ses leçons de prudence à ne pas avoir porté. Un ton plus bas, mais sans céder de sa détermination, elle ajouta :

— Soyons lucides néanmoins, notre avenir passe par la mise en examen du fils de Riverni. Si ce type comparaît devant un juge, on remonte en selle.

— D'accord. D'accord, fit Rosière en effleurant les médaillons sur son cou.

Elle découvrait avec plaisir qu'une chance restait à saisir quelque part.

18

Évrard et Merlot étaient restés dans le quartier de Riverni, attendant que les coups de téléphone aient gravi puis dévalé la colline hiérarchique, avant de prendre une décision. Après avoir eu Buron, Capestan les avait appelés sur place pour leur demander de patienter jusqu'à d'éventuels renforts. Évrard avait expliqué qu'un jardinet se trouvait dans l'enceinte de la Villa et qu'ils avaient vu le fils planquer sa came sous une pierre plate, dans une boîte en fer. Ils n'avaient pas bougé. Ainsi, en cas de perquisition, ils sauraient où fouiller. Les policiers avaient toutefois sonné, pour poser quelques questions sans trop dévoiler leur jeu. Le jeune matamore avait très mal pris les choses et menacé d'en venir aux mains. Merlot était intervenu avec autorité, affrontant le jeune homme sans l'ombre d'une hésitation, malgré ses trente centimètres de moins et ses trente années de plus. Le fiston était aussitôt parti se rebeller chez Papa.

Cette solidité soudaine chez Merlot, qu'elle tenait pour un mariole patenté, avait favorablement impressionné Évrard. Leur binôme lui inspirait une confiance toute nouvelle, et le dealer lui tapant sur les nerfs, ça faisait deux bonnes raisons d'attendre la cavalerie de Fomenko.

Hélas, Rosière rentra bredouille en fin d'après-midi. Fomenko s'était montré prévenant, mais il ne comptait pas « s'emmerder avec ces conneries » : le gars était du menu fretin et ne méritait pas les ennuis que sa garde-à-vue occasionnerait. Le divisionnaire répugnait à noircir des piles de paperasses pour un morveux qui ressortirait, sourire en coin, au bout d'un quart d'heure. Sans compter le paternel qui freinerait les avancements pour les dix ans à venir. « Il aurait le profil d'un Escobar en puissance, je ne dis pas, mais là, ton serin, vaut mieux laisser tomber », avait-il ajouté. Rosière était heureuse d'avoir revu un copain et d'avoir raflé une enveloppe d'herbe marocaine au passage, mais elle était sincèrement désolée de l'échec de sa mission diplomatique. Cela lui déplaisait de décevoir ainsi.

— Je vois, fit Capestan. Merci d'avoir tenté, capitaine.

Au fond, c'était une journée riche d'enseignements. Fomenko, plus galamment mais tout aussi fermement que Valincourt, opposait une fin de non-recevoir aux sollicitations. En résumé : Buron interdisait les actions officielles et les seigneurs du 36 refusaient les collaborations officieuses. La brigade était seule. Absolument seule. Elle devrait se débrouiller en marge. Ou forcer la main. Avec ses atouts à elle.

Capestan gagna le couloir et toqua à la première porte à droite. Dans le bureau, les affiches des représentations les plus prestigieuses de l'Opéra de Paris fleurissaient déjà sur les murs. Un diffuseur d'huiles essentielles répandait une douce odeur de mandarine, tandis qu'une radio réglée sur France Musique jouait en sourdine. Sur une table haute en verre fumé étaient empilés plusieurs volumes de droit dont un vieux *Dalloz*. Le capitaine Orsini prenait des notes sur un carnet. Orsini : la balance aux gants de velours, le sténographe de la presse judiciaire, la carte biseautée de Capestan. Il leva un visage attentif.

— Capitaine Orsini ? Pourriez-vous donner un coup de main sur une enquête, s'il vous plaît ? C'est Villa Scheffer, dans le XVIe. Une équipe est sur place, ils vous expliqueront.

Assis sur une chaise à côté des lits superposés de ses filles, les pieds alignés dans ses pantoufles à pois, Torrez lisait de sa belle voix de basse les aventures de *Clémentine fait du hip-hop*. Ses filles, concentrées, tortillaient chacune une mèche de leurs cheveux noirs en fixant, l'une le plafond, l'autre le sommier de sa sœur.

Après une pause savante destinée à renforcer le suspense, Torrez tourna la page. Un dessin naïf représentait une salle de danse munie d'une télé et d'un lecteur DVD.

Le lecteur DVD. Il était toujours dans le salon de Marie Sauzelle. Aujourd'hui les cambrioleurs ne se donnaient plus la peine de les emporter, mais en 2005… Le meurtrier avait maquillé la scène à la va-vite. Était-ce un oubli ou bien ne pouvait-il pas s'encombrer d'un sac ?

19

Gabriel était dans sa chambre et contemplait le portrait de sa mère dans son vieux cadre en plastique noir. Dans tout l'appartement, il ne restait plus que cette photo. Peu à peu, elles avaient déserté les murs, puis les étagères. Il n'y en avait jamais eu beaucoup, ils n'en possédaient pas tellement.

Gabriel avait dessiné des dizaines de portraits à partir de cette photo. La plupart de ses exercices au fusain, à l'aquarelle et même en bande dessinée avaient démarré par ce portrait. Il avait conservé seize de ces travaux de copie, tous de même format, qu'il avait accrochés en quatre rangs de quatre, au-dessus de la commode. Une très légère variation dans les traits entre chaque dessin pouvait laisser croire que sa maman vieillissait.

Gabriel entendit frapper un coup et la silhouette de son père occupa toute la hauteur de la porte. Depuis l'annonce du mariage, il se crispait de temps en temps dans un sourire, mais, de toute évidence, le cœur n'y était pas. Gabriel aurait eu envie de le rassurer, de lui dire que s'il partait jeune, il ne partait pas très loin, qu'il viendrait le dimanche, ou le samedi, ou le soir en semaine, les trois si nécessaire. Mais son père n'était pas du tout le genre d'homme à qui on parle comme ça. Pas le genre à qui on tapote la main.

Toujours planté sur le seuil, dans son éternel gilet de laine bleu pochant aux coudes, il tenait un marteau et une vis. En fait, il semblait s'être arrêté là par hasard et Gabriel le chambra :

— Je ne sais pas ce que tu comptes bricoler, mais à mon avis, ce sera plus facile avec un clou. Ou un tournevis.

Son père sourit et fit mine de découvrir le marteau.

— Je me disais aussi, ce mur n'est pas très coopératif…

Comme toujours, Gabriel avait été un peu gêné de se faire surprendre devant le cadre. Il chercha à se justifier et à pêcher l'approbation paternelle. D'un geste négligent du pouce, il désigna la photo :

— Je suis sûr qu'elle aurait adoré Manon. Elle a le profil de la belle-fille idéale, non ? Elle serait fière, tu ne crois pas ?

— Sûrement.

Gabriel s'efforça de ne pas attendre de suite. Il se tourna pour fouiller son pot à crayons, à la recherche d'un clou. Il dut pousser les figurines Marvel qui encombraient son bureau.

— Elle avait quel âge quand tu l'as rencontrée ? Tiens, ajouta-t-il en tendant un clou qu'il avait récupéré au milieu d'un tas de trombones, de vis et d'élastiques.

— Merci, fit son père en saisissant le clou qu'il glissa dans sa poche, avec la vis. Elle avait vingt-six ans, je te l'ai déjà dit.

— Elle fait plus vieille sur cette photo.

Son père esquissa un geste, comme pour retourner le cadre, mais s'arrêta à temps. Embarrassé par sa main soudain inutile, il la rangea dans la poche de son pantalon gris. Gabriel détourna le regard en direction de la fenêtre. Il voyait les files de voitures sur le boulevard Beaumarchais. Elles étaient de toutes les couleurs sous le gris des gaz d'échappement. Elles rongeaient leur frein au feu rouge. À l'arrêt, les moteurs continuaient de vrombir et les pots de fumer, pressés de repartir. Avant même que le feu ne passe au vert, des conducteurs avaient enclenché la première et avancé de dix ridicules centimètres.

— Et les parents de Manon, ils sont contents ? reprit son père, d'une voix un peu trop forte. Il faut les inviter à dîner. Je vous laisse fixer une date.

Gabriel n'en crut pas ses oreilles. Un dîner ? Des gens chez eux ? On enregistrait un net progrès. Afin de cacher sa joie, sans doute démesurée, il resta face à la fenêtre et baissa le store sur le trafic, sans que cela ne réduise le fond sonore. Quand il eut recouvré un sourire moins intense, il fouilla la poche latérale de son bermuda pour récupérer son portable. C'était son bermuda fétiche, le beige, celui qui, paraît-il, lui faisait de beaux mollets. Avant Manon, il n'aurait jamais pensé qu'un mollet, c'était beau. Mais maintenant, il ne le quittait plus, peu importait la température.

— J'appelle Manon tout de suite pour lui proposer.

L'instant de gêne autour du cadre s'était dissipé et, tout en déverrouillant le clavier, Gabriel demanda :

— Et pour le livret… Tu y as pensé ?

— Oui. Oui, je m'en occupe. Mais ça risque de prendre du temps. Tu comprends, Gabriel, n'est-ce pas ?

— Oui, bien sûr, Papa.

En fait, non. Gabriel n'était pas sûr de comprendre. Au printemps, il passerait officiellement dans le camp des adultes. Manon dirait que c'était bien une réflexion d'ado. Pourtant, elle savait qu'il était passé dans ce camp, il y a très longtemps déjà.

Il allait l'épouser, sa passion, son île. Il avait du mal à réaliser. À cette idée, chaque fois, une bouffée de chaleur le surprenait. Le bonheur étreignait sa poitrine, un bonheur tellement vibrant qu'il confinait à la tristesse, sorte de nostalgie à effet instantané.

Gabriel s'assit sur le bout de son lit, face à la photo de sa mère. Elle lui avait légué son teint mat et l'ovale parfait de son visage. Chez Gabriel, cette perfection se brisait au niveau des oreilles : le lobe gauche avait été arraché alors qu'il avait à peine deux ans. Un chien, avait dit son père. Il ne se souvenait pas. Ni pour son oreille, ni pour la phalange manquante au bout de l'auriculaire droit. Gabriel ne se souvenait jamais de rien.

Sa mère. Il ignorait toujours ce qui s'était passé. Son père parlait souvent d'elle, quand Gabriel était enfant. Puis la source s'était tarie. Chacune des questions de Gabriel s'était peu à peu soldée par les larmes que son père tentait désespérément de retenir. C'était un spectacle affreux que ce géant aux yeux rouges. Gabriel n'ayant pas une âme de tortionnaire, avec les années il avait fini par renoncer, s'immobilisant volontairement sous la ouate épaisse du non-dit. Bientôt, il serait peut-être père à son tour, et pour le coup, ce serait à lui de répondre. Et il n'aurait rien à dire. Ce n'était pas possible. Il était temps de chercher. Une enquête, sérieuse, s'imposait.

20

— Bien sûr, le danger est réel, répéta Torrez à une Capestan blasée.

Pour toute réponse, elle leva les yeux au ciel. Elle se tenait devant la Clio de location, la main sur la poignée de la portière passager. Les derniers voyageurs quittaient le parking de la gare de La Souterraine, soulagés d'en finir. Le train avait pris plus d'une heure de retard, sur un trajet qui en comptait à peine trois d'ordinaire. Une caténaire vandalisée avait chuté sur la voie. Alors qu'ils avaient traversé des kilomètres de jolis paysages, ils étaient restés immobilisés en sortie d'agglomération, sur une voie ferrée piquée d'herbes jaunes et bordée d'un fatras de grillages, bosquets et bobines de câbles électriques. La vitre à travers laquelle Capestan contemplait ce triste décor industriel était constellée de gouttelettes de détergent. Leur Teoz ne disposait pas de voiture bar et le chariot ambulant avait été dévalisé avant d'atteindre leur wagon de seconde. Tout en partageant avec Torrez la boîte de pastilles Ricqlès qu'elle gardait au fond de son sac, Capestan s'était promis que, la prochaine fois, elle dilapiderait plus largement les deniers de l'État et voyagerait en première.

Mais le plus pénible avait été d'entendre Torrez s'excuser du retard durant tout le trajet. Capestan avait eu beau protester de l'innocence probable du lieutenant en matière de caténaire, il continuait de bougonner : « Je me comprends, je me comprends. » Il avait peur. Un pressentiment que ce contretemps venait entériner.

Torrez ne démordait pas de sa poisse et Capestan se demanda si cette sensation funeste contaminait sa vie privée ou restait réservée à sa condition de flic. Entre l'œil de Caïn et l'épée de Damoclès, Torrez voyageait chargé.

Au volant d'une voiture aspirée de frais, avec la perspective des routes de sa Creuse chérie, le lieutenant se détendit un brin. Il n'alla pas jusqu'à sourire, mais l'alignement des sourcils reprit de la hauteur. La départementale sinuait entre collines, champs et forêts. Capestan, le nez au vent, découvrait ce que le terme d'automne pouvait recouvrir comme réalité. Fini l'unité chromatique des villes ou le vert infini des sapins de montagne, ici la nature faisait valser ses couleurs. Les chênes en rouge et orangé, les châtaigniers en brun, les hêtres éclatant de jaune : chaque espèce accordait sa réponse à octobre. Le vert des prairies parachevait ce camaïeu tout droit sorti d'un fantasme écolo. Pas un bruit, pas un gris, et partout une odeur de naissance du monde. Un air franc et plein, qui nettoyait chaque cellule d'un coup et montait au cerveau encrassé du citadin. Capestan s'ébahit. Torrez le perçut et son torse bombé indiqua qu'il le prenait comme un compliment personnel.

Après la traversée d'un village, ils arrivèrent en vue d'une maison bourgeoise du XVIIIe siècle. Une vigne vierge écarlate recouvrait la façade jusqu'au toit d'ardoises noires. La maison comptait deux étages. Les traces de rouille sur les volets métalliques auraient nécessité un coup de peinture. Depuis la rue, Capestan aperçut un mot sur la porte éraflée.

Elle poussa la grille qui émit un grincement discret et s'approcha en faisant crisser le gravier sous ses pas. De vrais bruits, songea-t-elle, tout en trouvant sa réflexion saugrenue. André Sauzelle avait laissé un message à leur intention : « Je suis à l'étang. Le cabanon de pêche sur l'îlot. »

Avant de rejoindre Torrez qui patientait adossé à la voiture, Capestan remarqua des boules de gras suspendues dans plusieurs arbres, pour les oiseaux. Et on n'était pas encore en hiver.

— André Sauzelle nous attend dans son cabanon de pêche. Je voudrais faire un crochet par le cimetière avant de le rejoindre.

— Vous souhaitez vous recueillir ? s'étonna Torrez.

— Non. C'est là que Marie est enterrée, et je voudrais vérifier quelque chose.

Dans la voiture, Torrez, embarrassé par sa canadienne, s'y reprit à deux fois pour boucler sa ceinture.

— Vous n'avez pas chaud, en ce moment, avec une canadienne ?

— Un peu, mais dans un mois, elle sera parfaite. Et puis, elle a des poches. J'aime pas le froid, acheva Torrez en tournant la clé de contact.

Le cimetière était juché à flanc de colline, au-dessus du village. On apercevait le clocher et la silhouette noire du coq de la girouette se découpait sur le ciel d'un azur soutenu. Les prés s'étendaient à perte de vue, semés de vaches rousses. Les morts profitaient d'un beau panorama. Il fallait grimper pour atteindre le caveau des Sauzelle, mais il était niché à l'abri du vent, contre un mur de pierres rondes.

Le marbre et les inscriptions étaient impeccables. Nulle trace de mousse, de pluie ou de terre, la dalle luisait, parfaitement entretenue et cernée de fleurs fraîches. Au sol, trois rangs d'azalées dans leur terreau bien gras dessinaient un contour au cordeau. Capestan avait toujours en mémoire le chaos de la maison d'Issy, mais pour la tombe, André Sauzelle ne faisait pas semblant de briquer.

La commissaire avait vu ce qu'elle voulait voir. Torrez était demeuré près de la grille. Il lisait les affichettes qui couvraient le tableau municipal et semblait soucieux. Anne Capestan descendit une volée de marches pour aller le retrouver. Près d'une allée, une plaque promettant « Nous ne t'oublierons jamais » était tombée, plantée dans la terre, un coin ébréché. Capestan regardait les photos de tous ces morts qui souriaient pour la postérité. Ils n'existaient plus que sur cette parcelle, coincés dans leurs cadres tarabiscotés.

— On y va ?

— C'est un piège, déclara Torrez d'une voix funeste.

— Qu'est-ce que c'est encore que cette histoire ?

Index replié sur le panneau, Torrez tapa le prospectus jaune comme on toque à une porte :

— Sauzelle n'a rien à faire dans ce cabanon. La saison de la pêche est terminée.

Capestan balaya la menace d'un haussement d'épaules. Torrez enfonça les mains dans ses poches et fixa le bout de ses chaussures.

— On ne devrait pas y aller, je le sens pas.

Le lieutenant insistait et son angoisse communicative commençait à irriter Capestan. À force de jouer les Cassandre, il allait finir par leur attirer des ennuis. La commissaire ne croyait pas à la poisse, mais elle redoutait la persévérance des pessimistes.

Ils atteignirent l'étang en quelques minutes. Deux enfants piaillaient sur le tourniquet de l'aire de jeux. Plus loin, un îlot planté de chênes et de châtaigniers abritait un cabanon de planches. Ils le rejoignirent par une courte butte de terre qui servait de gué. L'ombre des grands arbres couvrait chaque centimètre de mousse, une puissante odeur d'humus flottait dans l'air. Ils s'avancèrent vers le cabanon, dont la porte était ouverte. Le tapis de brindilles et de feuilles mortes craqua sous leurs semelles. Torrez fit un geste léger vers le bras de Capestan. Il cherchait à la retenir, mais elle refusa de céder. Le lieutenant devait se débarrasser de ses entraves, elle lui prouverait qu'on pouvait travailler à ses côtés sans se ramasser le ciel sur la tête. D'une main volontaire, elle toqua au bois de la porte et pénétra dans le cabanon.

La petite pièce était sombre. Les yeux de Capestan n'eurent pas le loisir de s'adapter à l'obscurité, un choc violent lui écrasa la tempe et une douleur fulgurante se répandit dans son crâne. Dans le flot d'adrénaline, une pensée réflexe électrisa la cervelle de Capestan, juste avant qu'elle ne s'écroule : « À mon réveil, qui que tu sois, je te tue. »

21

— Vous ne m'aurez pas comme ça ! fit Sauzelle, fébrile.

Torrez, les mains en l'air, se tenait à deux mètres du fusil pointé sur son torse. L'arme, un vieux Browning qui devait dater des années soixante-dix, tremblait dans les mains de l'homme, mais son visage était déterminé. Il jetait des regards inquiets en direction de Capestan, effondrée près de l'entrée. Il était difficile de savoir s'il craignait qu'elle se réveille ou au contraire qu'elle ne se réveille pas.

Torrez, malheureusement préparé à ces épreuves, tentait d'endiguer l'afflux d'émotions. Il ne devait pas perdre son équipière, ça ne pouvait pas recommencer. Un sang épais maculait la tempe gauche de Capestan. Elle semblait respirer, mais son teint était devenu livide et elle ne bougeait pas.

Il l'avait prévenue, pourquoi ne l'avait-elle pas écouté ? Refoulant les bouffées d'angoisse, Torrez rassembla son sang-froid. S'il y avait une possibilité de sauver la situation, il devait rester concentré.

Sauzelle était nerveux. Ses yeux bleus, petits et vifs, s'agitaient en tous sens. Des mèches de cheveux blancs collaient à son front luisant de sueur. Torrez devait ramener le calme dans l'espace confiné du cabanon. C'était à lui d'empêcher que la situation ne dégénère. Il plaça sa voix et veilla à conserver un débit régulier :

— Personne ne veut vous avoir, monsieur Sauzelle, on est juste venus vous poser des questions.

— C'est pas vrai, on m'a prévenu ! Vous venez me mettre en prison, mais j'irai pas ! Pas à mon âge !

Sauzelle avait la gorge serrée et se cramponnait à la crosse de son arme. Entre l'énergie du désespoir et une peur panique, il refusait de se rendre sans combattre. Le genre d'état d'esprit à laisser partir un coup de fusil. Il avait du mal à articuler, les mots se précipitaient :

— Déjà la dernière fois, vous avez essayé de me mettre le meurtre sur le dos, avant votre histoire de cambriolage…

— Vous ne croyez pas au cambriolage ?

— Non ! Bien sûr que non ! Mais c'est pas moi !

Intéressant. Le frère doutait lui aussi. Il avait sans doute ses raisons, restait à trouver lesquelles pour faire avancer l'enquête. L'enquête. Encore fallait-il que la commissaire s'en sorte vivante. Torrez n'aurait jamais dû accepter de travailler avec elle. Ni avec elle, ni avec quiconque. Il n'aurait pas dû céder.

La silhouette immobile de Capestan gisait sur le plancher noir d'humidité. Au-dessus d'elle, un ciré kaki pendait à un grand clou rouillé. Une paire de bottes hautes en caoutchouc, kaki elles aussi, s'étaient renversées et leur talon frôlait le crâne de Capestan. Torrez devait calmer leur agresseur.

— Pourquoi vous n'y croyez pas ?

— Je sais pas. À cause des fleurs. Marie détestait les fleurs coupées, elle n'en aurait jamais acheté.

Le prétexte était encore plus fumeux que leurs propres réflexions sur le lecteur DVD, les volets clos ou le chat disparu.

— Quelqu'un a pu lui offrir ce bouquet.

Sauzelle hocha le menton avec force. C'était exactement là qu'il voulait en venir :

— Oui, justement : le meurtrier.

— Ou n'importe qui d'autre : un petit ami…

— Non. Elle m'aurait dit.

Torrez vit Capestan frémir. Elle émergeait des limbes. Sauzelle ne devait pas s'en apercevoir, il fallait capter son attention à tout prix. Un bouquet de cannes à pêche aux fils emmêlés occupait un angle du cabanon, à portée de main de Torrez. Le lieutenant hésita à le renverser. C'était risqué. Le vieil homme était à cran, il suffisait d'un sursaut pour qu'il appuie sur la gâchette. Une mise en cause verbale ferait une diversion plus prudente. Torrez prit une inspiration et affirma :

— Vous ne vouliez pas la tuer, c'était juste un accident.

Sauzelle se cabra sous l'effet de l'accusation.

— Non ! C'était pas un accident, mais c'était pas moi. Et pourquoi je l'aurais tuée, de toute façon ?

— La maison, deux millions.

— Mais je ne l'ai même pas vendue.

Capestan ouvrait les yeux. Après un temps, elle passa une main discrète sur sa tempe. Elle sentit le sang sur ses doigts et son regard prit une expression de dureté que Torrez ne lui avait jamais vue. Elle détailla le profil de Sauzelle. Elle comptait agir. Torrez enchaîna :

— Vous avez des antécédents de violence.

— Moi ?

Le vieil homme parut sincèrement étonné. Torrez désigna l'arme du regard et Sauzelle eut une moue embarrassée. Le lieutenant enfonça le clou :

— Un homme qui bat sa femme peut très bien tuer sa sœur.

Sauzelle en baissa son fusil de stupeur.

— Moi ? Mais je n'ai jamais touché Minouche, c'est quoi cette histoire ?

En une fraction de seconde, Capestan rassembla ses jambes sous elle et bondit sur Sauzelle. Elle utilisa le poids de son corps pour les envoyer tous deux bouler au sol. D'une main, elle empoigna le canon du fusil et l'arracha d'un coup sec. Elle le fit glisser à l'autre bout du cabanon. Sauzelle se redressa en s'adossant à la cloison derrière lui, mais Capestan ne le laissa pas reprendre son équilibre. Elle le saisit à la gorge et le plaqua, debout contre les planches qui branlèrent sous le choc. Elle le maintint ainsi, bras tendus, en pesant sur sa trachée. Les yeux bleus de Sauzelle s'écarquillèrent de terreur. L'espace d'un instant, Torrez crut qu'elle allait le tuer et se tint prêt à intervenir. Mais, brusquement, Capestan relâcha sa prise. Sauzelle s'affaissa et toussa pour reprendre son souffle.

22

La pharmacienne appuya sur la pédale de la poubelle métallique et jeta le coton imbibé d'alcool.

— C'est propre, dit-elle à Capestan.

Celle-ci se releva du marchepied gris à roulettes sur lequel elle s'était assise pour faire examiner sa plaie. Debout devant les rayonnages de tisanes, Torrez et Sauzelle suivaient la fin des opérations avec une mine aussi coupable l'un que l'autre. Des traces d'ecchymoses commençaient à poindre sur le cou de Sauzelle. Il n'était pas blessé, mais Capestan se sentait mal à l'aise. Cet homme avait plus de soixante-dix ans et elle s'était montrée aussi brutale que s'il en avait eu trente.

Ils sortirent de l'officine sous un ciel bleu transparent. Un avion avait laissé dans son sillage une trace de fumée blanche, signature de haut vol qu'on ne remarquait qu'en campagne. Après avoir installé Sauzelle sur la banquette arrière de leur voiture, Capestan et Torrez se tinrent à l'extérieur du véhicule pour discuter de la conduite à adopter.

L'homme avait séquestré deux officiers de police sous la menace d'une arme. Il avait même assommé l'un d'eux. Parallèlement, même en état de légitime défense, la riposte de Capestan avait été disproportionnée. Or la commissaire préférait s'épargner une audition de l'IGS. Son permis à points était épuisé. De son côté, Torrez était d'accord pour ne pas ajouter une brique à sa réputation. Ils convinrent de laisser tomber les poursuites à l'encontre du frère de Marie. Restait un certain nombre de questions à lui poser.

Sauzelle, encore un peu sonné, attendait le verdict en les observant à travers la vitre. Capestan lui fit signe de la baisser et l'homme s'exécuta promptement. Il accueillit la nouvelle de son impunité avec soulagement et reconnaissance, puis demanda aussitôt si, sans vouloir abuser, il pouvait répondre aux questions tout en assurant sa tournée de livraisons. Avec ces événements, il avait pris du retard. Ils repartirent en direction de l'étang.

Aussitôt arrivé, Sauzelle ouvrit le hayon de sa camionnette blanche estampillée « Vergers Sauzelle » et sortit un cageot de pommes dont il proposa les plus beaux spécimens aux policiers. Torrez se servit et remercia aussi poliment que si un enfant de cinq ans s'était tenu à ses côtés. Capestan refusa d'un signe de tête. Son cuir chevelu la lançait et elle continuait de se montrer rétive. Elle glissa un œil entendu à Torrez et celui-ci prit la direction des opérations. Elle resterait postée en observation, le temps de digérer sa mauvaise humeur. Le lieutenant mordit dans la pomme, puis attaqua sans trop de douceur, pour conserver le rapport de force à leur avantage.

— C'est Naulin qui vous a parlé d'arrestation ?

— Oui. Il m'a dit que vous l'aviez interrogé et que vous veniez sûrement pour me passer les menottes…

Debout devant le coffre de son véhicule, Sauzelle s'essuyait les mains sur son pantalon, un jean délavé avec le pli du repassage le long de la jambe. Il ne savait plus trop quoi penser.

Torrez tendit sa pomme à Capestan. Puis il sortit carnet et stylo de sa poche et griffonna quelques mots avant de poser la question suivante :

— Vous vous entendiez bien avec votre sœur ?

— Oui, on était très proches.

— À trois cents bornes ?

— Et alors, c'est rien, un peu de route, et puis on se téléphonait tout le temps.

— C'est vrai que c'est rien, un peu de route… À l'époque, vous auriez pu faire l'aller-retour en une nuit pour la tuer.

— Mais non, je n'ai pas quitté la région, des tas de gens vous le diront…

— Des tas de gens ne vous surveillaient pas chaque jour et surtout pas chaque nuit.

— C'est ce que vos collègues avaient dit déjà.

— Et vous aviez répondu quoi, déjà ? fit Torrez, stylo rivé à son calepin.

— J'avais pas acheté d'essence pour un trajet aussi long… Enfin, peu importe. Rien. J'ai rien répondu, mais j'aurais jamais tué Marie.

D'une main épaisse, Sauzelle plaqua un épi têtu sur sa tempe. Son blouson de toile beige était taché aux coudes. Il reprit d'une voix sourde :

— Vous savez… On n'avait plus nos parents. Elle était veuve, je suis divorcé. On n'a pas eu d'enfants, ni l'un ni l'autre… Alors, elle avait plein d'amis, mais moi, je n'avais qu'elle.

Capestan s'éloigna de quelques pas, emportant la pomme. Devant elle, quatre arbres au tronc mince étaient coiffés d'une sphère de feuillage jaune vif, on aurait dit des allumettes géantes, plantées là pour éclairer l'herbe encore verte.

La surface lisse et épaisse de l'étang brillait comme du mercure. Au milieu, un canard solitaire traçait un sillon argenté, suivant une trajectoire rectiligne, décidée. Ce canard savait où il allait. À l'inverse du meurtrier, pensa la commissaire. Lui nageait en zigzag, incertain. Il tuait d'abord à mains nues, avec l'élan sauvage là, juste sous la peau, puis il asseyait le cadavre, lui recomposant une dignité. Il l'étouffait, mais la recoiffait. Cet homme passait de la rage au remords en quelques secondes. Il enfermait trop d'émotions dans un corps trop étanche. Il ne savait pas régler la soupape. Sauzelle correspondait au profil, mais avait-il une vraie raison de tuer sa sœur ?

Torrez, qui en avait oublié sa pomme, poursuivait l'interrogatoire. Il devait estimer en avoir fini avec la probabilité du frère et voulait étudier d'autres pistes. Ainsi, le lieutenant décala l'angle d'attaque et passa en mode collaboration, il faisait le coup du gentil flic et du méchant flic à lui tout seul :

— Elle était en mauvais termes avec quelqu'un ?

— Peut-être le promoteur, à Paris…

— Oui ? poursuivit Torrez d'une voix à la fois bourrue et encourageante.

Capestan se demanda comment il réussissait ça. Le lieutenant enchaînait les questions, les registres. On sentait le flic qui avait l'habitude de travailler en solitaire.

— Elle refusait de vendre, il était insistant. Mais de là à… Je n'ai pas trop suivi, de toute façon.

— Elle était institutrice en retraite, c'est ça ? Vous pouvez nous parler d'elle ? Sa vie, son caractère…

— Oui. Sûr. Par contre, vraiment, ça vous gêne pas si je démarre ma tournée ? Vous pouvez monter dans la camionnette, vous serez un peu serrés devant, mais on va pas loin.

Torrez consulta la commissaire du regard, elle opina.

Ils se tassèrent sur les sièges avant et Sauzelle partit à fond de train.

— Où on va ? demanda Capestan, pour renouer.

— Bénévent-l'Abbaye, ils font une brocante d'automne sur trois jours. J'alimente la buvette en jus de pomme, fit le frère en désignant du menton les caisses de bouteilles à l'arrière du Berlingo.

L'entrée du village était barrée pour la brocante et Sauzelle dut déplacer les barrières pour accéder à la place de l'Église. Sur le trajet, ils en avaient appris un peu plus sur Marie. Les hasards de l'affectation l'avaient envoyée en région parisienne, où une femme aussi active avait vite trouvé son compte. Elle adorait voyager et, à la mort de son époux, elle avait visité toute l'Europe, seule. Elle avait également randonné en Terre sainte, traversé l'Atlantique pour voir les Amériques, parcouru les Indes et le Moyen-Orient. Sans trouver d'autre mari en aucun coin du globe. Par ailleurs, Marie pratiquait assidûment le tango, le tarot, et se passionnait pour le cinéma et Goscinny. Son chat s'appelait Petibonum. André Sauzelle ne pensait pas qu'il soit mort au moment des faits, mais il ne s'était pas posé la question.

Les yeux encore embués, l'homme extirpa quelques caisses de bouteilles de sa camionnette et claqua le hayon du coude. Puis il en colla une dans les bras de Torrez :

— Tenez, le costaud.

Il n'osa pas tenter le coup avec Capestan, mais elle sentit qu'elle n'était pas passée loin. Ils rejoignirent tous trois la buvette et tandis que Sauzelle s'entretenait avec ses clients, Capestan et Torrez décidèrent de goûter la marchandise. Une dame accorte au tablier fleuri leur servit un jus plus trouble que les eaux de la Seine dans un gobelet en plastique. Ils allèrent s'installer sur un des bancs et observèrent la manifestation en sirotant leur nectar.

— Je repensais au verrou pas forcé, à la télé sur « mute »… Marie a coupé sa télé pour aller ouvrir la porte, j'en suis persuadée. Elle connaissait son agresseur.

Torrez opina. Manifestement, il en était arrivé aux mêmes conclusions :

— Le frère cadre assez bien.

— Oui… Même si je le trouve moins violent que ce qui était décrit dans le dossier…, commença Capestan.

Torrez faillit s'en étrangler. Reprenant son souffle, il désigna la tempe meurtrie de sa collègue.

— Non, pas vraiment violent…, maintint la commissaire. Instable, plutôt. Bon profil, mais il n'a pas de mobile, il tenait à sa sœur, il ne s'est pas enrichi avec l'héritage, il n'a pas vendu.

— Il est peut-être patient. Ou il n'a pas les moyens de payer la succession. Il faudrait vérifier les titres de propriété, creuser un peu. Et le mobile peut justement se situer à un autre niveau : rancœur familiale, trahison quelconque… Il avait peut-être l'affection exclusive.

Pas faux, on retrouvait fréquemment ce travers chez les sanguins, se dit Capestan. Torrez fit le tour de son gobelet avec l'index avant d'enchaîner :

— Et Naulin ? Il est pas mal, Naulin.

Torrez avait mené ses recherches et découvert que Naulin était fiché aux Stups. Adepte de la morphine et de l'opium dans les années soixante, il s'était fait dégommer par la génération montante et semblait rangé des voitures. La source de ses revenus actuels n'en demeurait pas moins opaque.

Capestan médita la question un bref instant.

— Il a une bonne tête de client, c'est juste. Je ne sais pas si cette vente ratée constitue un mobile assez solide, mais avec les querelles de voisinage, on ne sait jamais…

— On commence par pousser le volume de la télé et on finit par empoisonner le chien…

— … ou éperonner un suspect avant l'arrivée des flics. Des fois qu'il débarrasserait des encombrants.

La place accueillait quelques brocanteurs, des stands de charcuterie et de produits du terroir. Une dame, installée dans une chaise de plage, brodait sur place les napperons qu'elle vendait. Appuyé contre son stand, il y avait un vélo sur lequel voletait une pancarte « Pas à vendre ».

Capestan alla chercher deux parts de pâté aux pommes de terre dans des assiettes en carton. Ils les mangèrent à la main, en silence, profitant du spectacle des exposants. Dans un utilitaire ouvert sur le côté comme un camion à pizza, un homme sec d'une cinquantaine d'années couvait du regard l'étendue de ses collections. Sur plus de trois mètres de linéaire se serraient des centaines de surprises Kinder, réunies par séries, dans des coffrets transparents. L'homme rayonnait, fier d'exhiber l'œuvre d'une vie. Sur un stand minuscule, à côté, sa femme, blasée, enfilait des perles de bois sur des bracelets porte-bonheur.

Sauzelle arriva, interrompant la pause goûter. Capestan posa sa part de pâté dans l'assiette ramollie et lança la question qui la tracassait :

— Pourquoi n'avez-vous pas nettoyé la maison ? Il y a des entreprises pour ça.

— Hors de question. Un homme tue ma sœur. On le laisse courir. On classe l'affaire. On nettoie la baraque et on vend. Ça y est, c'est fini, on passe à autre chose. Et puis quoi encore ? Cette maison restera comme ça, tant que cette ordure sera dehors.

La maison reste et empoisonne la ville, pensa Capestan en étudiant le vieil homme. Un bloc de mémoire, qui pourrit la vue. Tant que sa sœur ne reposerait pas en paix, cette rue ne dormirait pas tranquille. La commissaire savait reconnaître les réserves de colère bien épaisses. Cet homme attendait un coupable. Il se gratta la joue et fixa le sol une seconde, avant de reprendre :

— Marie, c'est ici qu'elle est, pas là-bas. C'est ici que ça compte, que ce soit propre et bien tenu. Au cimetière.

— Une dernière chose, monsieur Sauzelle. Était-elle de nature méfiante ou aurait-elle pu ouvrir sa porte à un inconnu ?

— Elle était confiante, mais faut pas pousser. Les inconnus, c'est mieux dehors.

— Vous ne croyez pas à la version du cambriolage. Ce n'est pas seulement à cause des fleurs ?

Capestan ne croyait pas à l'instinct. L'instinct, c'était juste un détail enregistré dans un bout de cerveau, qu'il fallait faire remonter au centre d'analyse. Une sensation d'inachevé à la mort de sa sœur. Un échange téléphonique, peut-être ?

— Que vous a-t-elle dit la dernière fois que vous l'avez eue au bout du fil ?

Le visage de Sauzelle se chiffonna sous l'effort de mémoire. Puis il s'éclaira brusquement :

— Si ! Elle avait une soirée, avec une de ses associations ou un de ses clubs…

— … Tarot ? Tango ? Association de riverains ?

— Je ne sais plus. Ah si, c'était une soirée « pas gaie, mais qui lui tenait à cœur ». C'est ça. C'est ce qu'elle m'a dit en dernier, acheva Sauzelle, d'une voix un peu voilée.

Il se frotta le nez du dos de la main.

— Bon. Je vous ramène à votre voiture ?

— Oui, merci, fit Capestan en se levant.

Elle chercha où jeter son verre et vit une poubelle dont cinquante bons centimètres de gobelets dépassaient déjà. Elle parvint à trouver l'équilibre sur le dessus. Torrez lui confia le sien pour qu'elle réitère l'exploit. En chemin vers la voiture, il s'arrêta à un stand et acheta deux pots de miel. Il en tendit un à Capestan.

— Tenez, pour faire marcher le commerce local, dit-il sans sourire.

— Merci, fit Capestan, surprise. Je le laisserai au commissariat, pour qu'on en profite tous.

— Comme vous voulez.

Île de Key West, sud de la Floride,
États-Unis, le 19 janvier 1991

Rencogné à l'opposé de la salle, saoulé par le vacarme de cris et de pleurs, Alexandre se tordait les mains en fixant le fond des vitrines.

— Encore un effort ! Je vois sa tête ! encouragea la sage-femme.

Debout à ses côtés, la jeune fille de l'accueil assistait à l'événement en toute indiscrétion. Même le directeur de l'établissement était venu là, en chemisette à rayures, avec son sourire blanchi d'animateur de loterie. Alexandre aurait dû les chasser sur l'instant, mais il ne les avait pas vus entrer. La sage-femme accélérait ses exhortations et Alexandre se mit à transpirer comme un bœuf.

Il percevait dehors les bruits de l'animation sur Mallory Square. Les touristes se rassemblaient en masse sur la place et le long des docks. À cette heure, ils tournaient le dos aux jongleurs, pour admirer le plus grand des spectacles de Key West : le coucher du soleil sur le golfe du Mexique. La tension de cet instant de pure beauté se répandait sur l'île entière qui s'arrêtait, quelques minutes, de respirer. Alexandre tremblait. Son fils allait naître ici, il allait naître maintenant.

Son premier cri transperça le silence.

En un souffle, l'enfant saisit le père.

D'un pas, Alexandre fut aux côtés de Rosa, qui lui serra la main avec force. Tous deux abasourdis, ils admirèrent le nourrisson rouge, gluant et fripé.

— Gabriel…, murmura la nouvelle maman.

Il était là.

Pendant presque neuf mois, ils avaient imaginé celui qui deviendrait le pivot de leur vie sans avoir jamais vu son visage. Aujourd'hui, ils le rencontraient pour la première fois. Ils l'accueillirent les yeux pleins de larmes, en braves mammifères éblouis.

La sage-femme emmaillota le nouveau-né dans une vaste serviette-éponge, sur laquelle le directeur attendri apposa son autocollant « *I lifted a gold bar* ».

Avant qu'Alexandre ne proteste, Rosa se mit à rire. Elle avait raison, songea-t-il. La clameur éclata sur Mallory Square. Dehors, la foule applaudissait spontanément aux derniers rayons du soleil. Gabriel était né, cerné de pierreries, sous les hourras d'un public saluant son astre vénéré.

Il ne pouvait paraître sous de meilleurs auspices.

23

Évrard avait organisé un tournoi de fléchettes impromptu en clouant une cible sur la porte du couloir. Deux portes plus loin, à l'abri de son bureau, Torrez devait espérer que personne ne se blesse, mais ici, c'étaient les grands cris. De dépit, pour la plupart, puisque Capestan venait de remporter la quatrième manche d'affilée. Sur quatre.

— Je propose qu'on joue sans elle, fit Rosière en arrachant sa fléchette du dernier cercle.

Évrard, Merlot, Orsini et même Lebreton approuvèrent énergiquement avant de retourner à la marque, peinte directement sur le parquet.

— C'est pas sympa, protesta Capestan en jubilant.

Chaque fois qu'un joueur lançait une fléchette, le chien partait comme un fou, puis revenait, perplexe, les oreilles en sémaphore.

— Franchement, une championne de tir, ça tue le suspense, renchérit Évrard.

— De tir au pistolet, ça n'a rien à voir !

Capestan avait été médaillée d'argent de tir au pistolet aux Jeux olympiques de Sydney en 2000.

Douze ans plus tard, elle n'avait même plus le droit de regarder une arme.

— Même, dit Évrard en calant le bout de ses tennis sur le trait rouge.

Le téléphone sonna dans le salon. Sûre que c'était pour elle, Capestan s'adressa à l'équipe, le sourire en coin :

— Voilà, vous êtes débarrassés.

Elle rejoignit son bureau en zinc et écarta les échantillons de papier peint anglais soumis par Rosière au consentement collectif. Elle attrapa l'appareil avant de s'asseoir dans son fauteuil à roulettes. Ce devait être Buron, prêt à lui passer la soufflante du siècle.

Ce matin, dans tous les quotidiens gratuits et payants s'étalait en une le visage outré de Riverni. Suivaient dans les pages des articles d'une précision étonnante, formidablement bien renseignés quant aux errances de Riverni Fils depuis des années. Orsini, en spécialiste averti, savait par où démarrer un beau lâcher d'affaire. Il allumait le feu via le web, l'attisait en fournissant les documents au *Canard enchaîné* et le tout s'enflammait au Vingt heures, bien obligé de suivre, pour retomber en braises dans tous les quotidiens. Orsini livrait de vraies histoires, et les journalistes connaissaient sa fiabilité. Ce matin, Buron devait serrer son téléphone très fort.

Capestan décrocha, en apnée.

— Typique, commença Buron. Je suppose qu'il fallait que je m'y attende !

— Bonjour, monsieur le directeur. C'était tentant, en effet. Juste retour des choses.

— Juste ! Juste ! Vous savez où il en est, Riverni, avec votre justice ? Contraint de démissionner !

Buron s'étouffait à l'autre bout du fil. Capestan l'imaginait le visage rouge vermillon, le nœud papillon prêt à exploser. Le combiné devait essuyer une sacrée douche.

— Permettez que j'écrase une larme ?

— C'est pas une larme que je vous demandais d'écraser, Capestan ! Vous êtes insupportable, vous ne changerez jamais. La Direction générale, la préfecture, le ministère, toute la basse-cour m'est tombée sur le râble dès sept heures ce matin pour me demander d'où venait cette fuite. Que dis-je, une fuite, c'est Aqualand ! Parce que vous n'y êtes pas allée de main morte. Non seulement la presse sait pour le fils et sa cocaïne, mais elle a appris que le père faisait pression pour étouffer les enquêtes et muter les récalcitrants.

La partie de fléchettes avait repris sans Capestan et les joueurs s'amusaient beaucoup plus. Incroyable de voir à quel point les gens détestaient perdre. Elle-même, par exemple…

— Vous ne m'avez pas laissé le choix. Et vous le savez, d'ailleurs, rappela-t-elle.

— On a toujours le choix. Et vous optez systématiquement pour celui qui flatte votre orgueil.

— L'orgueil de la brigade, nuança Capestan.

Machinalement, elle faisait glisser les échantillons de papier peint, isolant finalement l'ocre rouge.

— C'est cela. Bon. Je n'ai pas dit au préfet que ça venait de votre brigade. Vous n'aviez pas besoin de ça, Capestan, vous vous en doutez, ça aurait été la goutte d'eau qui vous envoyait en cabane. J'ai pris sur moi de vous protéger. Je ne vous demande pas de me remercier…

— Mais je m'y résous volontiers, monsieur le directeur : merci beaucoup. Merci de votre compréhension et de votre incomparable discrétion, fit-elle sur un ton qui la surprit elle-même.

Ce n'était pas de l'insolence. Elle la frôlait avec Buron, mais généralement dans des situations moins minées, pour égayer les échanges. Lui-même n'en prenait pas ombrage, il savait à quoi s'en tenir sur l'estime que Capestan lui portait : infinie et inoxydable. Elle ne lui manquait jamais vraiment de respect. Pourtant, sa réponse traitait clairement par-dessus la jambe le savon qui avait précédé. C'était une sorte d'inspiration du moment, Capestan n'aurait su expliquer cette nonchalance soudaine et décomplexée, ce sentiment de comédie à deux. D'ailleurs Buron, bien qu'en maugréant, poursuivit avec la même légèreté :

— Et sinon, la brigade ? Ça se passe bien ?

Quelques minutes de conversation badine plus tard, Capestan raccrocha et le téléphone ressonna aussitôt, comme à rebond.

— Vous avez oublié quelque chose, monsieur le directeur ? dit-elle.

Il y eu un temps d'hésitation au bout du fil. Puis une voix sirupeuse que Capestan reconnut avec un frisson de répulsion finit par répondre.

— Bonjour, commissaire.

— Monsieur Naulin, bonjour, dit-elle. Que puis-je pour vous ?

— Je voulais vous signaler qu'un jeune homme avait sonné chez moi, il cherchait Marie Sauzelle.

— Tiens. Et pour quelle raison ?

— Il voulait simplement lui parler, m'a-t-il dit. Il était très surpris et fort désolé qu'elle soit ainsi décédée depuis sept ans.

— À quoi ressemblait-il ? demanda Capestan en rapprochant le bloc et un stylo qui n'écrivait plus.

Elle en testa trois en griffonnant rapidement au dos des échantillons de tapisserie et finit par trouver un roller rouge en état de marche. Pourquoi n'étaient-ce jamais les noirs ou les bleus qui écrivaient encore ?

— Une sorte de jeune écureuil roux caramel. Le teint mat, du même roux que les cheveux. Dans les un mètre quatre-vingts, joli garçon mais frêle, poussé trop vite, vous voyez. Timide, avec l'œil vif toutefois. Il lui manque le lobe de l'oreille gauche. Et peut-être un doigt, je n'en suis pas sûr. Il portait un sweat à capuche orange, un T-shirt dans le genre des nouveaux dessins animés…

— Les mangas ?

— Absolument. Il portait également un bermuda beige et ces baskets énormes, vous voyez, qui leur font les mêmes pieds que Mickey.

Capestan entendait Naulin sourire, il se trouvait irrésistible de drôlerie.

— Et un casque à vélo vert gazon…

Il était d'une précision remarquable, suspecte même. Capestan était passée chez lui la veille. Elle avait voulu lui signifier sa façon de penser quant à l'accueil reçu en Creuse par ses soins. Elle avait espéré obtenir une explication, mais Naulin s'était cantonné à son registre louvoyant, niant toute responsabilité, puis jouant le mystère impénétrable dès qu'elle posait une question.

Exaspérée, le crâne vrillé par le souvenir du coup de fusil, Capestan l'avait un peu secoué, mais Naulin n'avait rien lâché de neuf. La commissaire avait dû réduire la pression. Elle était repartie, persuadée de la culpabilité du bonhomme mais sans possibilité d'insister. Aujourd'hui, Naulin tentait sans doute de se racheter une innocence et délivrait, description en main, un dérivatif parfait.

— Il vous a laissé son nom ?

— Malheureusement non.

Ben voyons.

— Dommage, mais merci monsieur Naulin, votre croquis est très précis, fit Capestan avec un soupçon d'ironie.

— J'avais à cœur de vous aider, commissaire, acheva-t-il d'un ton onctueux.

Capestan le salua et raccrocha. Elle demeura quelques secondes debout à examiner ses notes sur le bureau. Finalement, elle déchira le bout de papier peint griffonné pour aller frapper à la porte du bureau de Torrez et attendit sa réponse avant d'entrer.

Assis sur son canapé, le lieutenant étudiait les dossiers fiscaux d'André Sauzelle, notamment la succession, à la lueur d'une lampe d'architecte articulée vissée à un tabouret. Par terre, son vieux transistor à cassettes diffusait un titre d'Yves Duteil, une chanson vaguement mélancolique. Il faisait une chaleur à étouffer dans la pièce. Au mur, un nouveau poster était punaisé. Une équipe de foot poussins, le Paris Alésia FC, trois rangées de gamins dans des shorts trop grands étaient encadrés par deux entraîneurs dans des joggings trop serrés.

Capestan répéta mot pour mot le contenu du coup de fil de Naulin et Torrez nota la description à son tour.

— Qu'est-ce que vous en pensez ? demanda la commissaire en frottant la cicatrice de son index.

— Joli paquet, bien emballé avec son bolduc.

— Oui. Sans nom en plus, je ne vois pas comment accrocher les recherches… Un jeune, roux caramel, sweat à capuche… Remarquez, le bermuda en cette saison… il est réchauffé.

— Les ados, niveau vêtements, c'est pas la température qui compte pour eux.

— Vous avez un ado aussi ?

— J'ai de tout, répondit Torrez sérieusement. On peut peut-être chercher du côté du casque vert gazon. Pas commun comme couleur. Il vient sûrement d'un magasin de cycles spécialisé. Si on en trouve chez Decathlon, par contre, c'est mort.

— En admettant que ce jeune existe ailleurs que dans les stratégies de Naulin, est-ce que ça peut avoir de l'importance ? Un garçon visite une mamie sept ans après sa mort. Pourquoi ?

Torrez plissa ses yeux noirs, il chassait l'indice, la clé, le petit caillou.

— Ancien élève ? Elle était institutrice, fit-il.

— Oui, peut-être. Bon, j'étudie la question du casque et on garde la description à l'esprit, mais on ne se tracasse pas avec ça. Les trouvailles de Naulin…

La main sur la poignée de porte, Capestan s'apprêtait à ressortir, quand la soirée évoquée par André Sauzelle lui revint en mémoire. Elle se tourna vers Torrez :

— Vous avez trouvé une soirée ou une réunion quelconque dans l'agenda de Marie ?

— Non, justement, je voulais vous en parler !

Torrez leva un index comme pour mieux retenir la commissaire, tandis que de l'autre main il cherchait un document parmi ceux éparpillés sur son bureau.

— Rien n'était noté dans l'agenda. Je pensais donc consulter son courrier, pour voir si elle avait reçu une invitation. Or… Voilà, fit-il en exhumant un feuillet du dossier de la Crim. Figurez-vous qu'aucune lettre n'apparaissait dans la liste des pièces récupérées chez Sauzelle.

— Ils n'ont peut-être rien vu qui vaille la peine d'être ramassé.

— C'est ce que j'ai d'abord pensé, mais je suis allé vérifier sur place, répondit Torrez, rayonnant de conscience professionnelle. Là, j'ai fouillé le secrétaire du salon, les tiroirs de la bibliothèque, la console de l'entrée : rien. À l'exception d'une facture d'électricité et d'une lettre pour un jeu-concours de La Redoute, il n'y avait pas une enveloppe.

— En effet, c'est curieux. Surtout pour une personne aussi investie dans la vie associative.

— Le meurtrier a emporté le courrier, je ne vois pas d'autre option. À mon avis, non seulement il connaissait la victime, mais tous deux partageaient une activité commune.

Avant même que Capestan n'ajoute quoi que ce soit, le lieutenant souleva une paluche résignée :

— Je sais, je sais. Y a plus qu'à se taper l'historique des clubs du quartier.

*

La partie de fléchettes s'était achevée. Capestan gagna la cuisine d'où elle entendait la troupe. La baie vitrée était grande ouverte. Sur la terrasse, Lebreton et Rosière fumaient une cigarette, Évrard avait les paumes autour de sa tasse de café. Orsini, planté comme un mirador, les surveillait tous. Capestan s'approcha de ce dernier et l'attira à part pour l'entretenir discrètement.

— Capitaine, ma démarche va vous sembler naïve, mais…

— Ne vous inquiétez pas, commissaire. Concernant cette brigade, je ne compte pas balancer ce que je verrai à l'IGS ou à la presse, coupa-t-il. Je ne dénonce que les corrompus. Or ceux-ci sont soit en prison, soit en place, jamais dans un placard. Sans vouloir vous froisser, les histoires de crétins ou de flics au piquet, ce n'est pas mon rayon.

— Mais c'est votre affectation, rappela Capestan, soucieuse de recadrer le mépris d'Orsini pour ses collègues.

Celui-ci accusa réception de bonne grâce, arrangea d'un geste rapide sa lavallière en soie marine, et sourit :

— Je me vois plutôt là pour aider, commissaire.

Capestan opina en signe d'assentiment et s'éloigna du capitaine. Elle achoppait sur cette dernière précision et la laissa infuser dans un coin de cervelle.

Elle ouvrit le frigo pour se servir un jus de fruits et sortit prendre l'air elle aussi. Merlot rejoignit l'équipe sur la terrasse en tenant d'une main une cuillère et de l'autre le pot de miel offert par Torrez. Sans considération aucune pour les consommateurs qui suivraient, il plongea la cuillère dans le pot et la porta directement à sa bouche. Alors qu'il s'apprêtait à la replonger, Capestan bondit et sauva le pot.

— C'est un cadeau de Torrez, dit-elle, sachant que, désormais, plus personne n'y toucherait.

Merlot afficha une seconde de contrariété, puis reporta toute son attention sur la cuillère qu'il lécha avec délectation :

— Le miel, mes enfants, le miel ! N'est-ce pas merveilleux, ce que donne la nature ?

La truffe de Pilou approuva, il attendait que ça tombe.

— Elle donne rien du tout, répliqua Rosière en pointant un doigt dodu sur son interlocuteur. Ce sont des centaines de petites abeilles qui bossent comme des acharnées pendant des mois pour se fabriquer leurs réserves et dès qu'elles ont terminé, y a un humain qui passe par là et taxe tout comme le dernier des mafieux. Les abeilles, elles se retrouvent une aile devant, une aile derrière, retour à l'usine les cocottes. La nature « donne ». Mon œil ! On la pille et c'est tout. « Merveilleux », pff…

Rosière achevait régulièrement ses diatribes dans un soupir excédé. Merlot continuait de sourire et d'admirer sa cuillère en hochant la tête. Il semblait heureux que Rosière ait été de son avis. Merlot aimait sa vie. Son ego opérait un tri d'une simplicité biblique : l'ensemble des gloires et profits lui revenait, le reste ne le concernait en aucun cas.

À l'opposé sur la terrasse, Orsini ôtait les feuilles mortes du laurier-rose. Il avait fournit la presse en infos Riverni avec un luxe de détails remarquable. Capestan s'y attendait, elle l'avait même prévu, mais le résultat avait de loin dépassé ses espérances. Le capitaine au chic vieille France rassembla les feuilles dans ses deux mains, avant d'aller les jeter dans la poubelle de la cuisine. Capestan réalisa qu'au fond, elle n'avait jamais eu peur d'Orsini. Dès le départ, en effet, elle l'avait envisagé comme une solution, non une menace.

La commissaire repensa aussi à Buron qui en avait fait des caisses pour la sermonner, alors qu'il ne pouvait pas avoir été surpris, il l'avait d'ailleurs concédé en préambule. Le directeur connaissait Orsini et, surtout, il connaissait Capestan. Elle l'admettait à regret, mais elle était extrêmement prévisible quand on la mettait au pied du mur. Elle tolérait mal les interdictions arbitraires et s'arrangeait forcément pour les contourner. Buron savait cela depuis longtemps. Capestan eut soudain la certitude d'avoir été manipulée. Comme une bleue et sans chichis. Restait à savoir jusqu'à quel point, et dans quel but.

Sous le coup d'une impulsion subite, elle se dirigea droit vers Merlot qui avait abandonné sa cuillère sur l'assise d'un transat.

— Capitaine, je peux vous demander un service ?

— Mais bien entendu, chère amie, à vos ordres.

— Si quelqu'un parmi vos connaissances a entendu parler d'un contentieux entre Buron et Riverni, ça m'intéresse.

24

Ils étaient partis au milieu de la nuit. Les rues de Paris se succédaient, désertes. Aux façades des immeubles, les fenêtres étaient noires et de rares bruits de circulation résonnaient au loin, presque feutrés. Au feu rouge, Lebreton avait observé un petit groupe de trentenaires éméchés qui fumaient à la sortie d'un club, éclairés par le néon de l'enseigne. Encore quelques stops, quelques feux, et ils emprunteraient le périphérique, la Lexus pouvant enfin s'élancer librement, comme un chien qu'on détache à l'orée de la forêt.

Lebreton conduisait en souplesse et savourait le souffle à peine perceptible du moteur. L'habitacle de cuir les enveloppait douillettement, la lumière orangée du tableau de bord éclairait faiblement leurs visages. À l'arrière, Pilote se tenait tranquille, en boule sur sa couverture polaire, émettant de temps en temps un ronflement encombré. Exceptionnellement, le Guerlain de Rosière n'était pas dosé au bidon et l'odeur de neuf de la voiture dominait. Pour le trajet, Louis-Baptiste avait préparé une playlist : des standards country, de la surf-music californienne et quelques titres d'Otis

Redding. Des airs qui donnent envie de rouler et de rejoindre l'océan.

Eva Rosière dormait depuis l'embranchement de l'A11, après Saint-Arnoult. Elle s'éveilla quand Lebreton dut ralentir au péage de La Roche-sur-Yon. Elle s'étira, se pencha sur son sac à main et insista pour payer, mais la carte de Lebreton avait été plus rapide. Il redémarrait, quand elle entama une conversation qu'elle devait se garder au chaud depuis un moment.

— Il paraît que t'as été négociateur au Raid ? interrogea-t-elle d'un air dégagé.

— Oui. Pendant dix ans.

Dix années passées comme un souffle. Lebreton s'était passionné pour ce métier d'action, de calme, de méthode et d'écoute. Viser la résolution pacifique au milieu des crises de démence, se concentrer sur ce dernier rempart – la négociation – avant la force et les rippers cagoulés. Dix ans à s'entraîner, à se perfectionner, il ne s'était pas ennuyé une seule seconde. Par contraste, comme un flash, le commandant se revit la veille, à la brigade, devant le clavier de son ordinateur auquel il manquait les touches A et Enter.

Comme Lebreton ne se décidait pas à développer, Rosière revint à la charge :

— C'est super classe le Raid, qu'est-ce qui t'a pris d'aller à l'IGS ?

— Il ne m'a rien pris, j'ai pas eu le choix.

Lors des phases de recrutement, Lebreton n'avait pas mentionné son orientation sexuelle. Dans le temple de la testostérone, les préjugés poussaient dru et Louis-Baptiste voulait le poste. Il l'avait obtenu. Ses performances l'avaient ensuite élevé au-dessus de tout soupçon.

— Pourquoi ? fit Rosière en pivotant sur son siège pour caler son épaule ronde dans le creux du dossier et observer son interlocuteur plus à son aise.

— Tu vois ce que c'est d'être gay, dans la police ?

— T'es le seul à dire gay, déjà.

Lebreton sourit devant l'évidence.

— Oui, pour commencer.

Et puis il y avait eu Vincent, les années qui passent et la maturité qui se lasse des cachotteries. Un matin, au bord du canal Saint-Martin, Lebreton et son compagnon avaient croisé Massard, le commandant du Raid. Lebreton avait présenté Vincent pour ce qu'il était. Sur le moment, Massard avait joué les grands esprits, alors même qu'on ne lui demandait rien.

— Quand ça s'est su, j'ai été muté en moins de deux semaines. Avec une promotion au grade de commandant pour faire passer la pilule.

L'IGS, le cimetière des éléphants, la fin du monde, le trou. Lebreton n'aurait pas pensé pouvoir tomber plus bas. Pas avant la brigade de Capestan du moins. Mais, au final, les missions ne lui avaient pas paru sans intérêt. On trouvait toujours des flics qui confondaient leur carte avec un chèque en blanc.

— Il paraît que c'est toi qui as cuisiné Capestan, là-bas.

Par exemple, pensa aussitôt Lebreton. Le syndrome Batman. Il garda cette réflexion pour lui et se contenta de détourner le regard. Au sommet des talus qui bordaient la quatre-voies, le feuillage des arbres jaunissait. La campagne, qui parfois apparaissait derrière, était encore verte.

— Sur sa dernière bavure, oui, confirma-t-il.

Puis, brièvement, il refit face à Rosière avant d'ajouter :

— Mais je ne suis pas censé en parler, excuse-moi.

Il repensa à l'affaire. Deux enfants enlevés par un prof. Capestan avait mis six mois à les localiser. En arrivant sur les lieux, elle avait abattu l'homme, en toute simplicité.

— C'était de la légitime défense, c'est ça ? insista Rosière.

— Voilà.

De la légitime défense, sauf que le type était à cinq mètres, armé d'un stylo, et que Capestan avait tiré trois balles en plein cœur. Pas exactement l'endroit qu'on vise pour immobiliser un suspect. Capestan avait maintenu que, sous le coup de l'urgence, elle n'avait pu ajuster son tir. De la part d'un flic médaillé de pistolet, on était à la limite de la provocation. Lebreton ne comprenait toujours pas que la hiérarchie soit passée là-dessus.

— Et toi ? Depuis l'IGS, comment t'as fini avec nous ? demanda Rosière.

Pilou commençait à mordiller l'accoudoir et sa maîtresse leva un index autoritaire. Le chien, docile, s'arrêta et émit un puissant bâillement qui s'acheva sur un couinement satisfait. Il s'offrit un petit tour sur lui-même avant de se recoucher. L'aube illuminait progressivement l'habitacle, entraînant une envie de café. Un soleil orange traversait le pare-brise arrière, éclairant la route en ligne droite. Lebreton trouvait un peu d'Amérique sous ses pneus. Il aurait apprécié que le silence se réinstalle.

— Hein ? fit Rosière, en chignole opiniâtre.

La capitaine, avec sa chaleur directe et son énergie décomplexée, était d'humeur à échanger des confidences, Lebreton ne pouvait se dérober sans la blesser. Il déboîta sur la file de gauche pour doubler deux camions.

— La mort de Vincent a été un choc, dit-il sur un ton égal. Mais quinze jours après l'enterrement, j'ai dû reprendre le service.

Lebreton se sentait de nouveau déambuler sans but dans les couloirs, la démarche floue, incapable de retrouver son bureau. Les collègues lui donnaient des tapes dans le dos, par sympathie, le maximum de ce qu'ils jugeaient nécessaire.

— Je n'arrivais pas à me concentrer, je suis allé voir le divisionnaire pour un congé sans solde.

— Il n'a pas répondu non, quand même ?

— Il a répondu que ça ne l'arrangeait pas en ce moment.

Louis-Baptiste avait évoqué le temps du deuil. Damien, qui avait perdu son épouse l'année précédente, avait eu besoin de quatre mois pour se remettre, c'était une pause nécessaire. Interloqué, le divisionnaire avait lancé : « Tu ne vas pas comparer ! »

Des milliards d'explications n'auraient pas suffi à ouvrir l'âme de cet abruti. Lebreton en avait eu assez. Assez de se justifier, assez de suivre la ligne du parti. Si même le service propreté de la police pratiquait la discrimination tranquille, cela méritait d'être signalé.

— Alors ? fit Rosière qui attendait toujours la suite.

— J'ai monté un dossier de plainte pour discrimination. Je l'ai porté à la Direction générale et au ministère de l'Intérieur.

— Et qu'est-ce qu'ils ont fait ?

— Rien, bien sûr. L'IGS n'allait pas enquêter sur l'IGS.

— Ton divisionnaire s'en est sorti comme ça ?

Quittant la route du regard un bref instant, Lebreton adressa un sourire amusé à sa coéquipière :

— C'est lui ou moi dans la voiture, à côté de toi ?

Le panneau d'entrée de ville « Les Sables-d'Olonne » apparut sur leur droite, détournant leur attention. Dans un bel exemple de synchronisation, Lebreton et Rosière baissèrent leur vitre. Un air humide et chargé d'iode s'engouffra dans l'habitacle. Sur la banquette arrière, le chien se redressa et gémit d'impatience. Rosière sortit sa main et agita les doigts pour sentir le souffle. Pilote planta ses griffes dans l'accoudoir et tenta de passer à l'avant pour gagner la vitre et renifler ces relents d'algues prometteurs. Il était huit heures du matin. Trop tôt pour se rendre chez l'architecte naval, mais parfait pour une pause café face à la mer.

Lebreton passa la barrière du parking plein air du port de pêche et engagea la berline dans une place en épi. Il serra le frein à main et coupa le contact. Avant de sortir, Rosière en revint à Capestan. Ce tir de foire la tarabustait :

— Son équipier n'était pas là pour la couvrir, elle a peut-être eu les jetons…

— Dans la brigade, elle a choisi Torrez comme partenaire. Torrez, ajouta Lebreton pour appuyer son propos. Capestan n'a peur de rien du tout.

25

Capestan avait peur de tout. Après s'être douchée et habillée, elle revint fermer la fenêtre de la chambre qu'elle avait aérée en grand et, avant de rabattre la couette sur le lit, elle ôta le revolver de sous l'oreiller où elle le déposait chaque soir. C'était une vieille arme de rechange devenue arme tout court quand l'administration lui avait confisqué son Smith & Wesson. Elle ne pouvait plus dormir sans. Elle sentait Paris qui guettait derrière la porte et il lui fallait son somnifère à barillet. Son métier l'avait brisée. Elle l'avait choisi autant par goût que par bravade, pour déparer son destin tout tracé de jeune fille à hautes études et époux conséquent. Son enthousiasme et son sens du devoir l'avaient menée très loin. La compassion et l'émotivité l'avaient écrasée contre un mur. Désormais, Capestan avait peur. Mais elle ne se dégonflait pas. C'était la limite qu'elle s'était fixée, l'orgueil tenait le cap. Elle dominait par ailleurs plus facilement sa peur que sa colère, tout en sachant que les deux baignaient dans le même bassin.

Elle avait décidé ce matin d'étudier le dossier Sauzelle au grand air, de faire respirer les éléments. Sous le vent, ils viendraient peut-être s'imbriquer différemment. Profitant d'un soleil faiblard mais présent, elle avait opté pour une chaise du jardin du Luxembourg. Face au bassin, elle avait relu les différentes constatations et contemplé le défilé des passants.

Depuis son portable, elle avait appelé le cadastre, la mairie d'Issy-les-Moulineaux et enfin le consortium Issy-Val-de-Seine pour creuser la piste de Bernard Argan, le promoteur. Elle avait ainsi découvert que les contrats pour le nouvel emplacement étaient signés depuis un mois déjà quand Marie Sauzelle avait été assassinée. Au moment des faits, Argan n'avait plus aucune raison de faire pression. On pouvait éliminer un suspect.

L'esprit apaisé par le calme du parc, Capestan remontait maintenant le boulevard Saint-Michel en se disant que l'automne sentait bon quand on passait sous les marronniers. Elle arriva en vue des quais de Seine et, sur la droite, elle admira Notre-Dame, superbe d'autorité, qui jugeait l'âme de tous ses Parisiens.

De l'autre côté du quai, assis au pied du parapet, se tenait un rottweiler. Capestan n'avait rien de particulier contre les rottweilers, mais elle se félicitait que Rosière ait plutôt choisi le format de Pilote. Comme toujours, la commissaire remonta sur le maître pour voir s'il avait la même tête que le chien. Il se tenait perché sur le parapet, les jambes pendantes et, aucun doute, il avait l'air beaucoup moins sympa que son chien. Il donna une tape de la main sur la pierre à côté de lui pour que l'animal le rejoigne. Celui-ci avait peur et refusait de sauter, il ignorait ce qu'il y avait derrière ce parapet, il soupçonnait le vide. Il rabattit ses oreilles, la queue entre les jambes, mais son maître insista, tira sur la laisse et lui cria de monter. Une décharge de colère pétrifia Capestan. Ce chien avait la trouille et il fallait que ce mec le lâche avec ses ordres d'abruti. Le feu était vert, Capestan ne pouvait pas avancer. Les voitures passaient à toute allure devant elle, lui barrant l'accès au quai. Le chien s'aplatissait au sol maintenant, et son propriétaire était descendu de son perchoir pour dominer l'animal de toute sa hauteur de minable. La commissaire pouvait le voir beugler. Il ne tarderait pas à frapper. La rage vrombit dans le crâne de Capestan, des centaines de frelons se fracassèrent sur ses tempes et une cascade écarlate commença à voiler sa vue. Elle avançait peu à peu sur la chaussée, les voitures la frôlant de plus en plus, elle fixait le vert du feu avec intensité, le front bas. Elle allait traverser et prendre la tête de cette vipère dans sa main, elle l'assommerait contre le parapet pour qu'il cesse d'emmerder son chien. Elle pouvait déjà entendre l'os se briser sur la pierre, elle compensait d'avance le choc, l'effet retour. Le sang des primates affluait, elle l'écoutait battre. Soudain, toutes les voitures stoppèrent à sa hauteur. Le passage piéton libéré s'ouvrait, immense. Sur son autre rive, le rottweiler était parvenu à sauter et à s'asseoir. La langue pendante, il appréciait ce répit. La vermine à côté allumait sa clope. Capestan entama la traversée en respirant. Des pics effervescents continuaient d'assaillir sa peau, l'exhortant à tuer ce type. Son chien n'était pas mort aujourd'hui, mais il le serait sans doute demain. Capestan entendait sa raison lui marteler le cerveau, lui intimant de décrisper ses poings, l'urgence était passée, on ne tuait pas pour ça. Elle n'était pas autorisée à tuer. Le message forçait pour se frayer un chemin, la prudence suintait à l'intérieur du crâne et Capestan dévia brusquement.

Elle accéléra le pas en direction du pont pour rallier le bureau. C'était de pire en pire. Maintenant, elle débordait même pour les chiens. Bientôt, elle ne pourrait plus affronter les épreuves que réserve la police. Comme ces épidermes qui, à force d'exposition, développent une allergie ; au lieu de s'endurcir avec le temps, elle s'amollissait, ses défenses s'effritaient à l'usage, elle devenait entièrement perméable. Elle deviendrait bientôt totalement inapte. Et barbare elle aussi. Tout en marchant, elle se roula en boule dans un coin de son inconscient pour se calmer.

La colère.

Tuer un homme, mais sauver un chien.

Capestan s'arrêta sur le pont.

Et si le chat de Marie avait été vivant au moment du cambriolage ? Il n'y avait plus de gamelles, mais l'assassin avait pu les emporter. S'il avait décidé d'épargner le chat ? De l'adopter ?

Quel genre de meurtrier agissait ainsi ?

Attablé devant sa barquette de harengs pommes à l'huile, Merlot se servit un ballon de côtes-du-Rhône, puis enfonça le bouchon d'un coup de paume aguerri. Il portait le verre à ses lèvres, quand une illumination soudaine lui fit suspendre son geste.

— Rosière ne serait-elle point célibataire ?

Un sourire égrillard éclaira son visage. Une main victime de l'habitude lissa une mèche depuis longtemps disparue sur le crâne chauve. Le capitaine hocha la tête.

— Hé hé. Et même Capestan, ajouta-t-il, confiant.

26

Rosière et Lebreton longèrent à pied le port de pêche, pour atteindre la jetée où, de chaque côté du chenal, deux phares, un vert et un rouge, se faisaient face. Le vert penchait comme un cocotier ayant affronté trop de tempêtes. La vue embrassait l'immense baie des Sables-d'Olonne. L'océan, placide en cette heure matinale, roulait quelques vaguelettes. Sur le remblai, la longue promenade qui bordait la plage, le bar Les Régates ouvrait. Le serveur, en tablier et baskets, sortait les tables de la terrasse.

Ils s'installèrent, commandèrent un café et un peu d'eau pour le chien. Une fois les consommations déposées sur la table bistrot et le serveur reparti dans sa réserve, Rosière inspira un grand coup et entreprit de récapituler avant la bataille.

— Au niveau objectif, c'est simple : si Jallateau ne parle pas, on n'a rien, peanuts, que dalle. Il est notre suspect numéro un, et numéro unique surtout. S'il ne nous sert pas au moins le début d'un aveu ou d'une piste, on rentre bredouilles. Et on annonce à la veuve que, dans trois mois, il y aura prescription.

— La dernière fois que les flics ont interrogé ce type, ils se sont cassé les dents.

— La dernière fois, les flics ont fait un boulot de saligauds. À nous de prouver qu'on est meilleurs.

Rosière prit le biscuit qui accompagnait le café et le tendit à son chien. Celui-ci le saisit délicatement entre ses dents, le goba d'un mouvement bref, puis, une fois la gueule refermée, pointa le museau, prêt à renouveler l'opération. Rosière regarda Lebreton, qui céda lui aussi son spéculoos avant de demander :

— T'as l'air d'avoir un plan.

— Non. Mais j'ai des cartouches. J'ai fait quelques recherches, on n'y va pas à poil. On le met en confiance avec notre commande bidon…

— Je ne suis pas sûr que ce soit recevable, Eva…

— Alors là, mon Loulou, t'es mignon, mais faut faire avec les moyens du bord. On n'a pas de saisine, pas d'éléments, il a du pognon et des avocats, on est obligés de bosser en biais. L'histoire Guénan, ça date, il ne verra rien venir. On y va en douceur, on lui talque bien les couilles et après on accroche.

Lebreton touilla son café en silence quelques instants. En procédant comme leurs prédécesseurs, ils récolteraient les mêmes résultats. Rosière n'avait pas tort. Autant varier.

— Bien, fit-il en reposant sa cuillère dans la soucoupe. Ça m'étonnerait que ça marche, mais je t'écoute.

*

À 9 h 15, ils garèrent la voiture sur le parking de la Marée, à côté d'un trente-huit tonnes qui vidait ses caisses de polystyrène blanc pleines de sardines, et marchèrent pour rejoindre l'entreprise de Jallateau. Entre le fumet de goémon et les fientes des mouettes, ils étaient servis en odeur locale, pensa Rosière. Sur les docks du port de commerce, peu de monde et la capitaine était la seule femme. On les suivait du regard, ils n'avaient pas l'air de touristes qui se font des sensations hors sentiers battus. De gigantesques silos de béton les cernaient, leur haute taille dominant les hangars en tôle balafrés de rouille. Le grincement des grues concurrençait les goélands, plus loin les mâts des bateaux de plaisance tintaient au vent comme un millier de gourdes en fer-blanc. Ici, la mer sentait le cambouis. Ils arrivèrent devant les portes vitrées d'un long bâtiment d'un seul étage. Au-dessus, des lettres bleues annonçaient « Jallateau Constructions navales ».

— On l'enfume, rappela Rosière. Sors ton sourire de vedette.

À l'accueil, un jeune homme d'un blond presque blanc leur demanda s'ils avaient rendez-vous.

— Oui, à 9 h 30, répondit la capitaine qui avait pris soin de réserver un horaire. Madame Rosière et monsieur Lebreton.

— Absolument. Pour un catamaran de 42 pieds.

— Voilà.

Ils n'eurent pas à patienter, Jallateau vint les accueillir aussitôt. Il les salua et se présenta avec amabilité. Il portait un costume gris et des pompes pointues. Ce type avait une gueule de jeep prête à défoncer la dune. Les sourcils épais en pare-chocs protégeaient un œil de murène et Rosière songea qu'il ne serait pas si facile à berner.

Ils pénétrèrent dans le bureau, leurs semelles s'enfonçant dans la moquette épaisse, d'un beige immaculé. Des étagères couraient le long des murs, exhibant une collection de maquettes de bateaux et quelques articles de presse sous verre. Dans le dos de Jallateau, une large fenêtre coulissante donnait sur l'entrée du chenal. Sur la rive opposée, on pouvait apercevoir le quai déployant son enfilade d'immeubles bas multicolores. C'était un tableau charmant et le retour sur la trogne de Jallateau était un peu pénible, estima Rosière.

Elle démarra le numéro d'embobinage, tandis que Lebreton guettait les réactions du constructeur. Celui-ci ne pipait mot. Il laissa Rosière déballer son texte et, lorsqu'elle eut fini, il les dévisagea en silence. Il chassa quelques pelures de gomme sur son bureau puis croisa les mains.

— Vous ne voulez pas de bateau.

— Qu'est-ce qui…

— Ça fait rêver d'acheter un bateau. Vous ne rêvez pas, ajouta-t-il avec un sourire désobligeant. Alors. Qu'est-ce que vous me voulez ?

Il fallait un plan B. Fournisseur ? Mafia ? Assureur ? Rosière réfléchit aussi promptement qu'elle le put, mais Lebreton la prit de vitesse :

— Commandant Lebreton et capitaine Rosière. Nous enquêtons sur le meurtre de Yann Guénan.

Jallateau se ferma aussitôt. Un froid polaire envahit l'atmosphère. Le silence s'éternisa, vibrant d'une tension électrique.

— La police.

La gestuelle du businessman perdit le vernis de courtoisie qu'il appliquait aux clients. Il carra ses épaules dans son fauteuil et cracha d'un ton de docker :

— J'ai perdu assez de temps avec vous à l'époque. Du balai.

Lebreton se cala à son tour sur son dossier.

— Nous voudrions d'abord vous poser quelques questions.

— Je les ai déjà toutes entendues, et elles ne m'ont pas plu.

— Guénan est venu ici avec un dossier sur le *Key Line* juste avant sa mort. Vous aviez quelque chose à cacher ?

— Rien, mais rien ! explosa Jallateau. C'est du fantasme de poulets, ça, de la parano collective ! Vous commencez à me courir avec vos théories du complot. Qu'est-ce que vous croyez ? Qu'il n'a pas été décortiqué, ce naufrage ? Vous avez vu le dossier de la commission d'enquête sur le navire ? Y a six pavés de trente centimètres. Des experts, des ingénieurs, des assureurs, des juges et des inspecteurs, j'en ai eu plein mes chantiers pendant des mois ! Des Américains, des Français, même des Cubains ! Dix ans d'enquête administrative et on n'a rien retenu contre moi ! Et vous savez pourquoi ? Parce que j'y suis pour rien dans ce putain de naufrage ! Avec cette météo, ils n'auraient jamais dû appareiller et c'est tout. Allez, laissez-moi maintenant.

Les deux policiers ne bougeaient pas et le teint de Jallateau s'empourpra. Il désigna la porte d'une main crevassée.

— J'ai dit cassez-vous.

Lebreton se tourna vers Rosière :

— T'en penses quoi ? On se casse ? Ça te fait envie ?

— Non, pas tellement. On est bien ici, on a la vue sur le port.

Dehors, un Zodiac remontait le chenal, les boudins de caoutchouc gris rebondissaient sur l'eau frisottante. Lebreton s'adressa de nouveau à Jallateau :

— On a bien réfléchi, on reste.

Un instant, Rosière se demanda si le marin n'envisageait pas d'en venir aux mains. Son torse se gonflait, mais l'homme hésitait. La carrure de Lebreton faisait cet effet. Une des clés de sa réussite en tant que négociateur. L'expression mauvaise, Jallateau choisit de toiser plutôt Rosière. Amusée, celle-ci enchaîna :

— Les experts n'étaient pas à bord du bateau. Guénan, si. Il vous faisait chanter ?

— Je ne dis plus rien. Vous voulez rester, très bien. J'ai de la lecture.

Jallateau s'empara d'une pile de documents à sa portée, il prit un stylo dans son porte-crayons et commença à raturer quelques lignes de la première page. Après un laps de temps, Rosière ouvrit la poche extérieure de son sac à main et sortit son téléphone portable. Ostensiblement, elle fit défiler le répertoire.

— Loïc Cleac'h, ça vous dit quelque chose ? Je sais que j'ai son numéro quelque part…

Jallateau connaissait très bien l'homme d'affaires breton. Comme Rosière avait pu le lire dans la presse spécialisée, le millionnaire venait de lui commander le plus grand catamaran de luxe jamais fabriqué par ses chantiers. Elle porta le mobile à son oreille.

— Ça va le rassurer que, d'après les experts, vos bateaux ne coulent pas. Ça sonne, ajouta-t-elle en désignant l'écouteur de l'index.

Le constructeur lâcha son stylo sur les documents et se frotta les yeux, avant d'interrompre Rosière.

— Ça va, ça va.

Il était fatigué de cette affaire. Un ton plus bas, il poursuivit :

— Écoutez, sans vouloir offenser sa mémoire, Guénan, il n'éclairait pas à cent mètres. Je ne sais pas ce que c'était, son dossier, mais à part une pétition, ça devait pas pisser loin. Et les pétitions, pour ce que ça vaut… Et puis, il n'en avait pas qu'après moi. Il recherchait un passager aussi.

Un passager. Pratique, pensa Rosière, prends-moi pour une dinde.

Lebreton et Rosière ressortirent de l'entretien quelques minutes plus tard, un poil abattus. Le mobile de Jallateau prenait quand même un coup dans l'aile avec cette histoire d'enquête au long cours. Le constructeur n'allait effectivement pas abattre un homme qui le menaçait de procès quand tous les États s'apprêtaient déjà à lui tomber sur le dos. Le soutien indéfectible de la veuve à son héros de mari avait brouillé la perception logique des événements. Pourtant, Jallateau avait des choses à se reprocher, Rosière en était persuadée, et la concordance de temps entre la visite et le meurtre rendait son innocence très improbable. Restait ce mystérieux passager, sur lequel le constructeur n'avait pu fournir aucun détail.

Finalement, les policiers s'étaient installés à l'hôtel, leurs deux chambres côte à côte reliées par un petit balcon. Ils avaient prévenu le commissariat et décidé de profiter de l'océan Atlantique pour la soirée, ça rentabilisait le déplacement. Ils avaient arpenté la plage. Le sable dense résistait sous la pression de leur poids, ils avaient marché à pas lents sur cette large piste, parlant peu pour savourer le rythme des vagues et du ressac. Le chien, lui, avait cavalé en zigzag sur des kilomètres, honorant chaque ruine de pâté de sable d'un pipi ravi. Il avait aboyé après les goélands qui s'éloignaient d'un coup d'aile paresseux, il avait creusé des petits trous et était venu coller sa truffe pleine de sable sur leurs pantalons. Puis ils avaient regagné l'hôtel et son restaurant de fruits de mer. L'océan avait pris sa position de sommeil, lisse et silencieux.

*

Au milieu de la nuit, Lebreton s'éveilla brusquement. « Je ne sais pas ce que c'était, son dossier… » : la phrase de Jallateau avait profité du calme pour remonter à la surface. Si Guénan et le constructeur n'avaient pas davantage évoqué le dossier, de quoi avaient-ils donc parlé ?

Peut-être que le passager mystère interprété comme une échappatoire par les policiers existait bel et bien.

Le commandant écarta le drap et traversa la chambre pour récupérer son sac de voyage, un vieux modèle en cuir aux sangles artistement élimées. Il en sortit le dossier que Maëlle leur avait confié et commença à en réviser les pages pour la troisième fois, cherchant la liste des pétitionnaires de Guénan. Les lignes d'écriture fine et serrée du marin étaient quasiment illisibles, mais au milieu des dizaines de noms, il en discerna un qui capta son attention.

C'était tellement impensable qu'il rapprocha la feuille pour s'assurer d'avoir lu correctement. Pas de doute. Lebreton reposa la liste, réfléchissant à ce que cette découverte impliquait.

Saisissant.

Rosière allait jubiler. Un instant, Lebreton envisagea de toquer à sa porte, mais sur la table de nuit le réveil digital indiquait quatre heures du matin. Ça attendrait le petit déjeuner.

Il gagna le balcon et s'installa sur le fauteuil en plastique blanc collant d'humidité saline. Il alluma une cigarette dans l'air frais de la nuit et contempla la mer éclairée par la lune. Il essaierait de se rendormir un peu avant l'aube.

*

Rosière savourait son thé et ses tartines en terrasse, au café des Sauniers, un petit bâtiment bleu sur lequel un poète avait peint une envolée de mouettes en trompe-l'œil. Le chien nettoyait sa gamelle à grands coups de langue, la poussant contre le pied des chaises autour de la table. Rosière, prévoyante, conservait en permanence un sac de croquettes et une écuelle dans le coffre de sa voiture. Elle héla Lebreton qui sortait de l'hôtel et Pilou fila le chercher. D'une main, le commandant agita les oreilles du chien et rejoignit Rosière de sa démarche paisible. Il s'était frictionné les cheveux après la douche, mais sans les sécher. La masse épaisse était coiffée en arrière. Il saisit le dossier de la chaise d'une main, tandis qu'il passait l'autre sur sa barbe naissante.

— Tu t'es rasé avec une biscotte ? remarqua Rosière.

Lebreton commanda un café et un croissant, avant de s'asseoir.

— J'ai pris mon rasoir, mais j'ai oublié mes lames. Mea culpa.

Cela faisait des mois que Lebreton n'avait plus rien oublié, disposant de tout le temps nécessaire à l'organisation. La joie de partir, peut-être, l'avait troublé.

— Tea pardonna, répondit la capitaine en soulevant son coude pour chasser une miette d'un geste impatient : avec la confiture, ça poissait.

— Bon, on rentre, je suppose, reprit-elle. Jallateau se sera pas trop mal démerdé encore une fois. C'est dingue que personne n'ait jamais trouvé la moindre preuve contre lui.

— Parce que ce n'est peut-être pas si simple, répondit Lebreton en faisant glisser un document sur la table.

De l'index, il désigna une ligne à l'intention de Rosière. Celle-ci prit sa tasse et se pencha sur la feuille. Elle fronça les sourcils, activant sa mémoire.

— Ça me dit quelque chose, ce nom…

Soudain, elle réalisa et fixa Lebreton d'un œil incrédule. Le commandant déchira son croissant en deux et opina, le sourire triomphant.

Gabriel sauta sur son lit et fit couiner les ressorts. Il revenait du service de l'état civil de la mairie où il avait dû batailler des heures pour obtenir des duplicatas. Il était ce garçon qui ne trouve jamais la case appropriée dans les formulaires administratifs. Ça devenait long d'épouser la fille qu'on aime, dans ce pays.

Le vieux chat se glissa dans la chambre et fit le tour en reniflant le pied des meubles. Puis il bondit silencieusement sur l'oreiller de son maître, s'installa et s'endormit en ronronnant. Gabriel le caressa un instant, avant de sortir une liste de la poche latérale de son bermuda. Elle était chiffonnée et il la lissa machinalement contre sa cuisse. Tous les noms étaient biffés, à l'exception d'un seul. Il déverrouilla son portable. Il avait parlé aux rescapés mais n'avait rien appris, personne ne se souvenait ni de sa mère ni de son père. Il ne restait plus que Yann Guénan, le marin de service à bord. Le dernier coup de fil. Après, il arrêterait.

27

Ce matin, Capestan avait convoqué l'ensemble des troupes, ou plus exactement, elle profitait de la présence exceptionnelle d'un certain nombre de policiers dans sa brigade pour lancer une réflexion croisée.

Lebreton et Rosière étaient encore sur la route mais n'allaient pas tarder. Ils avaient promis du fracassant. Capestan leur avait réservé deux places de choix sur le vieux canapé écossais jaune et vert, la contribution d'Orsini à l'aménagement communautaire. Le capitaine avait précisé qu'il s'agissait d'un canapé-lit et sur le moment Capestan avait prié pour que personne ne relève. Ça commençait à faire beaucoup de meubles, mais le salon était grand. On avait un peu décalé les bureaux, et le canapé, un confortable trois-places, se tenait désormais devant la cheminée.

Les travaux de tapisserie avaient commencé. L'avant-veille, Évrard et Orsini avaient préparé les murs, pendant que Merlot leur dispensait ses conseils, un verre à la main. Capestan et Torrez avaient ensuite posé le papier peint sur la moitié du salon. Une bâche en plastique tachée de peinture était grossièrement repliée dans un coin à l'entrée de la pièce, à côté du seau de colle, d'un pinceau, d'une maroufle et des trois rouleaux de papier restants. Au téléphone, Lebreton avait promis de finir le boulot ce soir. Après la réunion.

Tout le monde était en place, prêt à penser. Merlot s'était adossé à la fenêtre, aux côtés d'Évrard qui chantonnait en manipulant sa pièce d'un euro. Évrard fredonnait en permanence des bouts de chansons, quelques notes qui s'interrompaient à la faveur d'une prise de stylo et reprenaient au moindre coup de vent. Elle les rythmait en balançant la tête ou en tapant du pied. Seule la vue d'un jeu quelconque la rendait à l'immobilité. Orsini était assis, chevilles et mains croisées, sur une chaise en plastique moulé orange. Il portait sur ce monde un regard dédaigneux mais résigné. La porte donnant sur le couloir était ouverte et laissait voir le pied du tabouret que Torrez s'était installé pour suivre les débats sans s'imposer.

Deux flics étaient là pour la première fois. Quinze jours après la date de rentrée officielle et quelques passages éclairs pour découvrir le décor, ils s'étaient finalement présentés ce matin. L'ambiance leur avait plu, ils étaient restés pour prendre leur poste.

Il y avait Dax, un jeune boxeur qui avait abandonné autant de sueur que de cervelle sur le ring. Le nez épaté et le sourire content, il observait la vie avec l'enthousiasme d'une otarie dans les vagues. Avant que les uppercuts ne lui aient trop secoué la cafetière, Dax avait été l'un des lieutenants les plus futés de la Cyber-Crim. Il se disait que certaines fulgurances persistaient, mais aucun témoin direct n'avait pu confirmer.

Assis à ses côtés, se tenait son copain Lewitz, le fou du volant que la direction du matériel avait envoyé là, faute de pouvoir le gifler. Le brigadier Lewitz adorait les voitures et son engagement dans la police tenait pour moitié à la sirène. Il ne savait pas conduire mais se refusait à l'admettre. L'automobile était sa danseuse, Fernando Alonso, son idole sur terre, et ses mains ne connaissaient la paix qu'agrippées à un volant.

L'État avait généreusement attribué à la brigade un grand tableau blanc effaçable et trois feutres, dont un pas encore sec. Torrez avait apporté en supplément un tableau d'écolier monté sur des tubes métalliques rouges. Il avait sorti de sa poche de canadienne une boîte de craies et une petite éponge. Ses filles n'utilisaient plus l'ensemble, autant recycler. Capestan l'avait utilisé pour récapituler l'affaire Sauzelle. Sur le tableau blanc, le dossier Guénan. Tout était prêt pour le brainstorming. Capestan décida de démarrer sans attendre Rosière et Lebreton, ça servirait d'échauffement.

— Bon, lança-t-elle d'une voix claire. Où en est-on ?

Il y eut quelques bruits de verres et de tasses, puis l'attention convergea vers les deux tableaux.

— Au point mort, fit Orsini pour lui-même.

— Dans la vase, appuya Évrard en serrant son euro.

— Dans le pétrin ! clama Merlot, bien content de sa trouvaille.

Comme s'ils venaient de comprendre un jeu, Dax et Lewitz piaillèrent :

— Dans la merde !

Capestan coupa court :

— C'est bien, le principe du brainstorming, mais on va le tenter plus constructif, merci.

Plus personne ne pipa mot. Pour empêcher le silence de s'installer, Capestan résuma les affaires. Chaque piste se soldait par une impasse. Après tant d'années, les dossiers étaient terres brûlées. Les cas Naulin et André Sauzelle furent décortiqués, mais rien de nouveau n'en ressortait. Capestan observa ses troupes : elles participaient sans conviction. Le fatalisme les rattrapait, la curiosité s'étiolait. Si les enquêtes ne se décoinçaient pas, la brigade allait ressembler à ce club de retraités imaginé par Buron.

Merlot, pour le plaisir de claironner, relança pourtant le débat :

— Le mobile, mes enfants, le mobile ! On part du principe que Marie Sauzelle est une vieille dame innocente, mais qui sait la vie de débauche qu'elle menait ? Et si elle avait entretenu un gigolo, un amateur de tango à la passion dévorante ? Si son goût pour l'errance l'avait précipitée dans les griffes de la drogue et soumise à Naulin, le dealer ? Dans le fond, qui était Marie Sauzelle, chers amis, qui était-elle ?

Dax hocha la tête, il était d'accord sur tout. Le cuir de son blouson craqua lorsqu'il se pencha vers l'oreille de Lewitz.

— T'as pas un chewing-gum ? chuchota-t-il d'une voix de stentor.

Lewitz sortit un paquet de la poche arrière de son jean et tendit une dragée à Dax qui, dès lors, ne se consacra plus qu'à sa mastication.

— Et le gamin décrit par le voisin, on a quelque chose ? demanda Orsini.

— Non, admit Capestan.

Les recherches sur le casque vert n'avaient rien donné. Trop léger comme point de départ. De toute façon, Naulin avait sûrement brodé au hasard.

Pour la centième fois, Capestan parcourut des yeux le tableau. Cambriolage, verrou, volets, position du corps, voisin, chat, fleurs, frère, courrier… Elle avait du mal à circonscrire les éléments de l'affaire. Elle avait la tête comme une boule à neige, ses réflexions flottaient, voletaient dans tous les sens. Il fallait attendre que les flocons reposent pour y voir clair.

L'équipe était maintenant tournée vers le tableau de Yann Guénan. Dans le calme ambiant, on entendit Lewitz s'adresser à Dax d'un ton averti.

— Un homme abattu par un pro, c'est pas la peine de chercher. Vingt ans après, on va rien trouver.

— C'est pas pour trouver, c'est pour s'occuper, répondit Dax sans y voir le moindre problème.

Orsini opina tout en chassant une peluche sur son pantalon. Il pensait manifestement qu'en l'état actuel des choses, cette affaire ne mènerait à rien. Glacé, il en tira la juste conclusion :

— Ce qu'il nous faudrait, c'est du sang neuf.

Un frisson parcourut l'assistance, suivi de quelques ricanements idiots. La voix d'Évrard s'éleva timidement, ses yeux bleus s'écarquillèrent :

— C'est vrai, il faut des éléments nouveaux pour alimenter les dossiers. Nous, on n'a rien. On n'a pas de moyens pour enquêter, ça nous prend des siècles pour accéder au Fichier, sans parler des interpellations avortées…

Le lieutenant n'avait toujours pas digéré sa séance chez Riverni.

— Ça, on est moins dans *Cold Case* que dans *Case Cons*, renchérit Merlot. Avant, lorsque nous appartenions à la vraie police…

— Stop ! Stop.

Capestan n'avait pas élevé la voix, mais la salle se tut. La réunion virait à la séance de démotivation, il fallait intervenir. La commissaire survola l'assemblée du regard sans viser quiconque, mais, fait rarissime, elle s'adressa à eux sans sourire :

— Dans les films de guerre, celui qui dit « On va tous crever », il n'aide personne. Donc on arrête ça tout de suite et on ne refait pas l'histoire avec des « avant, avant ». Avant d'atterrir là, on était déjà au rancart. Tous. Pas la peine de jouer les anciens barons des Orfèvres, la punition ne date pas d'aujourd'hui.

Les fronts se baissèrent, les regards se détournèrent, penauds. Capestan ne voulait pas pour autant que l'équipe reste sur cette sensation. Elle se leva du coin de bureau sur lequel elle était assise.

— Sauf qu'aujourd'hui, justement, la paperasse qui prend 70 % du boulot : fini. Les rondes de nuit, les corvées de cimetière, les camés qui tapissent les toilettes du commissariat : fini. On est libres de faire le métier tel qu'on le rêvait quand on s'est engagés. On enquête sans pression, sans procédure à remplir, sans comptes à rendre. Alors, on profite au lieu de geindre comme des ados privés de boum. On appartient toujours à la Police judiciaire, on forme juste une branche à part. Une chance pareille, il n'en passera pas deux.

Capestan vit l'évidence frapper les esprits et redresser les épaules. Un élan vibra imperceptiblement, pas grand-chose, mais un mouvement d'ensemble qui sembla souder entre eux les flics éparpillés dans la pièce. Le groupe s'agglomérait.

Un jappement bref salua cette solidarité naissante. Pilou débarquait et approuvait l'ambiance. Rosière et Lebreton le suivaient de près. Tout en déposant leurs sacs et vestes dans l'entrée, ils adressèrent un « Bonjour » général et s'approchèrent des tableaux.

Rosière consulta brièvement Lebreton du regard. Celui-ci, d'un léger sourire, l'invita à prendre la parole tant convoitée. Eva tapota sa crinière pour la regonfler, frotta ses médailles de la paume, puis, sentant le suspense à son comble, elle entama sa déclaration d'une voix solennelle :

— Yann Guénan, le marin tué par balles sur lequel Louis-Baptiste et moi enquêtons ces dernières semaines, connaissait du monde. Et du monde qui nous intéresse. Il avait constitué un dossier épais comme un parpaing, sur lequel il avait reporté des centaines de noms d'une écriture de cochon. Lebreton, ici présent, grand commandant et poulet minutieux, s'est fadé la lecture de toutes les listes. Et là, au beau milieu de la nuit, alors que dehors l'océan grondait, un nom soudain lui a sauté au visage…

Lebreton, d'un mouvement de sourcils, encouragea l'oratrice à abréger. Rosière se résolut à en venir au fait :

— C'était le nom de Marie Sauzelle, la mamie étranglée à Issy-les-Moulineaux. Nos deux affaires sont liées.

— Quoi ?!? fit l'équipe dans un chœur de stupéfaction.

Après quoi ils se figèrent, guettant la suite. Rosière savoura la qualité du silence de ce public tout acquis et enchaîna :

— Elle est sur la liste des passagers à qui Yann a rendu visite et qui ont témoigné. Tous deux ont voyagé sur le même bateau.

Fracassant, en effet, pensa Capestan. La mamie et le marin avaient vogué puis naufragé ensemble et ils s'étaient revus ensuite. Pour finir assassinés. Toutes les lignes de l'enquête s'emmêlaient d'un seul coup.

— Ça change tout, fit la commissaire, songeuse.

— Tout, confirma Lebreton.

28

Capestan s'empara d'une feuille et après avoir vérifié que rien de capital ne figurait au dos, elle s'en servit comme brouillon. Elle devait noter le plus rapidement possible toutes les questions que cette découverte induisait. Évidemment, une nouvelle fois, le stylo noir ne marchait pas et, sans même tenter sa chance avec le bleu, elle en choisit un vert. Avec cette couleur comme avec le rouge, il n'y avait jamais de problème.

— Est-ce que Sauzelle et Guénan se sont rencontrés sur le bateau ou est-ce qu'au contraire ils se connaissaient avant et voyageaient ensemble ? Est-ce que André Sauzelle ou Naulin ont déjà vu le marin ? Marie Sauzelle est liée au naufrage, ça innocente ou incrimine Jallateau ?

En relevant brièvement la tête, Capestan vit les policiers s'agiter et s'échanger fébrilement des stylos, à la recherche du modèle miracle. Seuls Orsini qui disposait de son Montblanc et Lebreton qui pianotait sur son smartphone parvenaient à noter au fur et à mesure de la diction précipitée de la commissaire. Capestan se redressa.

— Il nous faut un troisième tableau.

Prompt à rendre service, Lewitz se proposa, enfilant aussitôt son blouson. La commissaire ouvrit son sac et passa son porte-monnaie au brigadier. Elle lui commanda aussi des feutres effaçables à sec et une cinquantaine de stylos-billes.

Après quoi, elle prit un temps de pause en observant ses hommes. Il fallait distribuer les missions.

— Capitaine Orsini, je vous laisse fouiller les archives de la presse sur le naufrage ? Peut-être sur Internet, mais…

— Non, à mon avis, c'est trop ancien pour avoir été numérisé. Je vais plutôt contacter des amis.

— Parfait.

Capestan rejoignit le couloir où se tenait Torrez :

— Vous pouvez appeler André Sauzelle à Marsac et Naulin ? Vous leur demandez si le nom de Guénan leur évoque quelque chose. Le frère ne nous a pas parlé du naufrage, mais c'est normal, c'était dix ans avant la mort de Marie.

Torrez se gratta machinalement la barbe, le poil crissait comme un paillasson flambant neuf.

— Oui, il ne pouvait pas faire le rapprochement. Je demanderai si Marie a signalé un fait particulier à l'époque.

Lebreton, installé dans le canapé, avait rapproché un carton d'affaires classées pour faire office de pouf et y poser ses pieds. Jusqu'à présent, Rosière et lui avaient juste survolé l'affaire Sauzelle, il en étudiait donc le tableau pour se familiariser avec les différents éléments. Un des problèmes de Torrez et Capestan était simple à résoudre. Lebreton pouvait le dire à la cantonade, mais il craignait que Capestan ne l'interprète comme une volonté de lui clouer le bec en public. Leur contentieux compliquait le travail d'équipe. Se retrouver enfermés dans un placard était déjà suffisamment pénible, sans devoir en plus s'y bagarrer. Lebreton observait Capestan au gouvernail. Elle possédait une grâce inconsciente : la douceur sans mollesse, la fermeté sans dureté, l'autorité empathique. Si elle n'avait été aussi sanguine, elle aurait pu faire une négociatrice de haute volée, mais elle ne savait pas résister à la provocation. Enquêtes, interrogatoires, fléchettes même, Capestan ne travaillait jamais en défense, toujours en attaque. Lebreton tapota son genou du pouce. Il hésitait. Il attendrait le moment propice.

La commissaire se dirigeait vers Dax, à présent. En passant devant le canapé, elle adressa un signe de tête interrogatif à Rosière. Celle-ci se tenait confortablement assise entre deux coussins, son chien couché sur ses pieds. Elle souleva son portable inerte :

— Maëlle ne répond pas. Je réessaie plus tard pour demander si elle connaissait la mamie.

Capestan acquiesça et rejoignit le spécialiste informatique. Il s'agissait de traiter les activités de Jallateau au moment du meurtre de Marie Sauzelle. La brigade ayant autant de chances d'obtenir une commission rogatoire qu'un crapaud de décrocher le Nobel, il fallait contourner les licences administratives. Sur le papier, Dax était l'homme de la situation.

Mais, en s'approchant, Capestan vit le lieutenant qui dessinait Bart Simpson sur le tableau fraîchement monté par Lewitz et elle commença à douter. Quand il colla son chewing-gum sur le nez du personnage, elle se résignait déjà. Elle tenta malgré tout :

— Lieutenant, vous qui venez de la CyberCrim, passer les pare-feu, déjouer les sécurités, vous savez ?

Dax se redressa et agita fièrement ses paluches :

— La mémoire dans les doigts ! Qu'est-ce qu'on cherche ?

— Tout ce qui concerne Jallateau entre avril et août 2005 : relevés bancaires, relevés téléphoniques, ses déplacements, son entreprise, ses sbires, ce que vous trouverez.

Dax hocha vigoureusement le menton plusieurs fois et fit craquer ses phalanges. Il préparait son grand retour.

Capestan sourit au lieutenant et regagna sa chaise à roulettes. Maintenant, la commissaire devait éplucher le dossier Guénan avec une minutie renouvelée. Cette affaire était devenue la sienne.

Une ligne se dessinait. Lebreton et Rosière, en se concentrant sur Jallateau, avaient négligé le tempérament de la victime. Un marin aussi persévérant, qui réunit ainsi des centaines de documents et consigne tout par écrit, tenait forcément un journal de bord. Là se cachaient sans doute des indices déterminants. Capestan ne voulait pas relever l'impasse devant le groupe, les rapports avec Lebreton étaient suffisamment tendus, il s'agissait de ne pas cristalliser la gêne. Mais elle se promit d'aborder la question à l'occasion d'un tête-à-tête.

Dans l'atmosphère studieuse qui régnait désormais, on entendit le raclement de la chaise de Torrez. Il traversa le fond du salon, canadienne sur le dos. Le silence se poursuivit jusqu'au claquement de la porte d'entrée. Douze heures, se dit Capestan.

Il était temps de déjeuner. On avancerait mieux l'estomac plein.

29

Lebreton et Évrard avaient enregistré les commandes puis étaient descendus chercher hamburgers et frites pour toute la brigade. La distribution du retour s'achevait et, tassés sur la terrasse devenue trop petite, les flics plongeaient le nez dans leur sac en papier brun, vérifiant que l'intégralité du menu s'y trouvait bien. Pilou trottait de l'un à l'autre, à la recherche du maillon faible.

Merlot entama son cheese avec une mine d'aventurier explorateur. Il découvrait les terres vierges de la malbouffe et mordit gaillardement le pain mou. Un flot de ketchup s'échappa à l'arrière du hamburger. Tel un surfeur vacillant, le cornichon en rondelles glissa sur la sauce et vint s'échouer sur la cravate déjà maculée du capitaine. Sans s'émouvoir, celui-ci attrapa une serviette en papier et, d'un frottement rapide, décrocha le condiment qui atterrit sur les tomettes de la terrasse. Le chien alla renifler l'impact mais, peu convaincu, il préféra attendre la chute du steak. Lewitz désigna l'animal et déglutit, avant d'articuler à l'intention de Rosière :

— C'est Pilote comme Senna, ou comme les avions ?

— Non, c'est Pilote comme les épisodes. Le premier d'une série.

Dax, surpris, cessa de mâcher :

— Tu veux prendre plusieurs chiens ?

— Non, série. Une série télé.

Évrard referma le couvercle en plastique de la salade, qu'elle avait à peine entamée. Elle sortit un paquet de petits-beurre du sac Monoprix posé au pied du transat et déchira l'emballage. Tout en croquant les quatre coins de son biscuit, elle proposa le paquet alentour. Dax tendit une main intéressée.

— Je te parie dix euros que tu ne peux pas en manger trois en une minute, glissa Évrard.

— Pas d'argent ! intervint aussitôt Capestan. Combien en une minute ?

— Trois, répéta Évrard en hochant la tête pour signifier qu'elle entérinait la consigne.

— Seulement ?! fit Dax en pouffant.

Impatient d'en découdre, il se campa sur ses jambes, bras le long du corps. Il secoua ses mains et fit pivoter son crâne pour se dénouer la nuque.

— Envoie, dit-il sobrement.

Un attroupement se forma rapidement autour du champion. Ce défi idiot évoquait vaguement quelque chose à Capestan, des vidéos sur YouTube, ou un film peut-être. Trois petits-beurre en une minute. La tâche semblait dérisoire, mais se révélait quasiment impossible. Une saine occasion de se ridiculiser entre collègues. Dax enfourna les trois biscuits d'un coup et actionna ses mâchoires avec frénésie pour réduire la masse.

Adossée à la baie vitrée, Capestan l'observait de loin en piquant pensivement dans ses frites. Lebreton en profita pour s'approcher et l'aborder à voix basse :

— Pour l'absence de chat, je suis d'accord avec vous, c'est bizarre. Si on veut en avoir le cœur net, faut chercher la caisse.

Capestan se redressa pour marquer son attention. Lebreton poursuivit sur le même ton :

— En appelant le vétérinaire le plus proche de chez Marie Sauzelle, on aura la date de la dernière visite comme l'état de santé du chat, et le véto saura si l'animal avait une caisse de transport. Si cette caisse n'est plus dans la maison, c'est que le meurtrier est parti avec.

— Marie aurait pu la jeter, à la mort du chat.

— On ne se débarrasse pas d'affaires pareilles aussi rapidement, et si le chat était mort depuis longtemps, le véto le saura.

— Vous avez raison. Le vétérinaire, la caisse. Bonne idée. Je m'en occupe cet après-midi. Merci, commandant.

Dax fixa le chronomètre. Une minute et trente secondes, il avait échoué. Ça l'étonnait. Lewitz prit le relais en adoptant une méthode diamétralement opposée : il grignota les biscuits un par un, à incisives continues, tel Bugs Bunny avec sa carotte.

Capestan aurait pu profiter de l'occasion à son tour et signaler à Lebreton ses conclusions sur Guénan, mais elle paraîtrait revancharde, à jouer à « tu me donnes une leçon, tiens en voilà une autre ». Or la commissaire ne goûtait pas ce registre. Lebreton sentit sa retenue, il demanda :

— L'affaire Guénan ? Vous avez un œil nouveau dessus.

— Oui, à mon avis, avec ses réflexes d'officier de marine, Guénan devait tenir un journal de bord. Notre passager mystère s'y promène sans doute.

— Un journal de bord. Évidemment, fit Lebreton. La veuve nous a dit qu'il parlait beaucoup. Pour se soulager, il écrivait peut-être.

Lebreton s'en voulait d'avoir négligé cette possibilité. Ils n'avaient pas suffisamment varié les questions lors de l'entretien avec Maëlle. Décidément, il fallait la revoir au plus vite. Le commandant remercia Capestan d'un signe du menton, puis rejoignit Rosière. C'était elle qui, maintenant, déglutissait son troisième petit-beurre, sous la surveillance d'Évrard et de sa montre en caoutchouc.

— Une minute dix, record battu ! déclara l'arbitre. Mais toujours pas de vainqueur à une minute.

— Encore un peu d'entraînement, on l'aura…, fit Rosière en toussant.

*

Quelques heures plus tard, alors que, sur le canapé, Merlot s'adonnait à une sieste consciencieuse, les recherches de ses collègues avaient progressé.

Depuis sa tanière, Torrez avait appelé André Sauzelle et ils avaient longuement discuté. Le frère se souvenait de Guénan. Il ne l'avait jamais rencontré, mais Marie avait parlé de lui après le naufrage. Ils avaient, semblet-il, passé plusieurs soirées à pleurer ensemble, cherchant à évoquer et surtout évacuer leurs traumatismes. Un jour, le marin avait disparu et André n'en savait pas plus. Marie ne le connaissait pas avant de partir en voyage, ils s'étaient donc soit liés sur le bateau, soit lors du séjour en Floride. Torrez avait également contacté Naulin qui, lui, ignorait tout du marin.

Orsini avait reçu par fax une série d'articles sur le naufrage. Ils offraient un éclairage différent, à la fois plus chargé d'émotion que l'article Wikipédia déjà imprimé par Lebreton et plus synthétique que le dossier du marin. Mais aucun d'eux ne contenait le moindre indice auquel s'accrocher. Orsini comptait approfondir les recherches à la bibliothèque municipale.

De leur côté, Rosière et Lebreton n'étaient pas parvenus à joindre Maëlle Guénan, en revanche ils avaient eu Jallateau. Le nom de Sauzelle lui disait « vaguement quelque chose », « oui, une pétition peut-être », mais il en ressortait essentiellement qu'on « l'emmerdait à la fin ». Rosière résumait le propos à Capestan qui reportait les infos sur le tableau, quand Dax les interpella depuis son PC :

— Je l'ai !

En moins d'une seconde, les policiers convergèrent vers le lieutenant et son copain Lewitz qui lui félicitait déjà l'épaule. Les doigts sur le clavier, la mine réjouie, Dax désigna l'écran du menton :

— Casier judiciaire de Jallateau ! Ça m'a pris des plombes pour craquer les sécurités de la préfecture, mais je l'ai eu : Jallateau, casier vierge.

D'abord incrédule, Capestan tenta de se reprendre. Pendant des heures elle avait vu le lieutenant piloter sa souris en tous sens et parcourir son clavier au rythme d'un Petrucciani sous amphétamines. Le front brillant de sueur, Dax ne s'était arrêté qu'une seule et unique fois, le temps de vider cul sec trois pintes d'eau du robinet. Toute cette énergie, cet acharnement, pour finalement dégoter un document présent dans le dossier original de la Crim. Capestan sourit doucement pour masquer sa consternation :

— Bel effort, lieutenant. Mais on l'avait déjà, le casier. Rosière a appelé pour le réactualiser. Je vous en ai parlé tout à l'heure…

— Ah.

Dax se mâcha la joue quelques instants :

— Ben justement, j'ai entendu casier, j'ai cherché.

Capestan acquiesça, comme si cette conclusion se justifiait pleinement, puis se dirigea vers la cuisine. Elle avait besoin d'un bon café.

Elle déplia un filtre en papier et le positionna dans la machine. La voix rigolarde de Rosière, qui fumait en compagnie de Lebreton, lui parvint de la terrasse.

— La bonne blague ! « La mémoire dans les mains » ! Un peu dans la tronche aussi, ça n'aurait pas nui. Le mec, il sait chercher, c'est juste qu'il ne comprend pas quoi. Non, mais tu vois le tableau ? fit-elle en se tournant vers Lebreton pour quêter son assentiment.

Elle n'obtint aucune réaction, mais poursuivit avec le même entrain :

— Dans toutes les équipes, t'as un génie de l'informatique, nous non. Nous, on a un con de l'informatique.

Elle pouffa :

— On n'est pas arrivés, je te jure, on n'est pas arrivés !

Lebreton, à côté d'elle, ne commentait pas, ne répondait rien. Était-ce de l'indifférence ou un refus ancré de médire ? Capestan n'aurait rien affirmé. Son intuition penchait néanmoins pour la seconde option.

Elle les rejoignit, bientôt suivie d'Évrard et de Lewitz. Tout en remuant le sucre dans son café, elle partagea un dernier motif d'étonnement avec ses collègues.

— Je n'ai pas trouvé la liste des passagers dans le dossier de la Crim. Il y a celle des pétitionnaires dans le pavé de Guénan, mais rien sur l'embarquement.

Rosière et Lebreton secouèrent négativement la tête, eux non plus ne l'avaient pas eue en main.

— Pas de problème. Je vais régler ça avec la compagnie maritime américaine, fit Évrard en regardant sa montre pour calculer le décalage, je les appellerai ce soir.

— T'es bilingue ? demanda Lewitz, épaté.

— Les vacances à Vegas, ça n'aide pas pour tout, mais pour l'anglais, un petit peu.

Il ne resterait plus qu'à appeler Maëlle Guénan, toujours injoignable.

Louis-Baptiste Lebreton était installé dans l'arrière-salle d'une cantine vietnamienne de la rue Volta. Perchée à côté des tubes néon, une télé diffusait des clips vidéo sans le son. Le commandant la regardait sans la voir, tout en mélangeant son bo bun à la sauce nem. Le grand bol à la main, il égouttait les nouilles du bout de ses baguettes, quand son iPhone vibra sur la table en formica. Maëlle Guénan. Il reposa bol et baguettes et s'essuya les doigts dans sa serviette en papier pour répondre.

— Allô ?

— Bonsoir, désolée de vous rappeler si tard, j'ai passé la journée à la campagne avec mon fils pour son anniversaire. C'était merveilleux, mais il n'y avait pas de réseau.

— Pas de problème.

— On peut se voir demain matin, si vous voulez. Je ne sais pas ce qui se passe, en ce moment tout le monde veut me parler.

30

D'un demi-tour de clé, Lebreton referma sa boîte aux lettres, puis sortit dans la rue du Faubourg-Saint-Martin. Ce matin, un ciel gris pâle aspirait les couleurs de la ville. Paris, asphyxié, battait faiblement sous sa toile de parachute sale. Lebreton prit à droite, en direction de la rue de l'Échiquier. Le journal de bord, le lien avec Sauzelle, les passagers et ce que la veuve avait oublié ou caché. Toute la nuit, le commandant avait tenté de rassembler les anecdotes de Maëlle Guénan : une salière, des lunettes, des pieds qui écrasent des visages, des épouses qui noient leur mari… La panique faisait bouillir l'âme humaine et laissait éclore des centaines d'actes irréparables. Ces bulles devaient continuer d'éclater dans les têtes plusieurs mois après et, pourquoi pas, conduire au meurtre.

En tournant dans la courte rue Mazagran, Lebreton aperçut trois voitures de police. Les gyrophares tournaient en silence. Des agents en uniforme allaient et venaient, ils installaient un périmètre de sécurité autour de l'immeuble de Guénan. Des voix métalliques jaillissaient des talkies-walkies, distribuant des ordres.

Une camionnette de l'Identité judiciaire stoppa à quelques mètres de la porte cochère, les techniciens firent claquer leurs portières avant de s'engouffrer dans la cour.

C'était le même immeuble, mais cette agitation ne concernait pas forcément Maëlle, se dit Lebreton sans y croire un instant.

Il prit le bandeau « Police » dans sa veste et le passa à son bras. Il tendit brièvement sa carte à l'un des gardiens de la paix. De ses grandes jambes, il avala les marches quatre à quatre.

Le visage doux de la veuve s'imposait à son esprit. Ils n'auraient pas dû réveiller cette enquête.

Sur le palier du premier, il croisa deux agents qui frappaient aux portes pour l'enquête de voisinage. En ce milieu de matinée, l'homme qui leur ouvrit, les cheveux en désordre, ne semblait pas encore bien réveillé. Lebreton les dépassa rapidement. La toile cirée percée, les ongles rongés, le pull élimé, une journée à la campagne pour l'anniversaire du fils, les détails d'une vie défilaient dans son esprit comme autant de remords.

Au quatrième étage, la porte de la veuve était ouverte et les bruits d'une agitation caractéristique parvinrent aux oreilles de Lebreton. Il fit un pas dans l'appartement et aperçut une tennis qui chaussait un cadavre. Une étoile argentée brillait sur les lacets. Le commandant s'avança dans l'entrée et reconnut Maëlle Guénan sans même avoir vu son visage. Le corps était tombé d'un bloc sur la moquette du salon. Des taches de sang avaient transformé les papillons brodés du jean en éponges écarlates. Au niveau de l'abdomen, le manche d'un couteau de cuisine dépassait.

L'odeur cuivrée du sang imprégnait l'atmosphère. Les techniciens du labo et de l'Identification judiciaire, dans leurs pyjamas de papier blanc, saupoudraient les alentours, posaient les marqueurs jaunes, pendant que le photographe flashait violemment Maëlle la timide. Lebreton ne pouvait pas encore voir l'ensemble du tableau et il allait pénétrer dans le salon quand une veste noire, impeccablement boutonnée, s'interposa. Elle était surmontée d'un visage en lame de couteau, au teint brun et à l'œil attentif. Lebreton reconnut le commissaire divisionnaire Valincourt, directeur des Brigades centrales. Celui-ci lâcha un lapidaire :

— Qui êtes-vous ?

La scène du crime attirait irrésistiblement Lebreton et il ne put s'empêcher de jeter quelques regards furtifs dans le dos du divisionnaire, mais évidemment, l'urgence était de répondre. Les informations qu'il détenait modifiaient du tout au tout l'éclairage sur le meurtre de Maëlle et la Criminelle en aurait besoin pour démarrer. Lebreton déclina ses nom, grade et affectation.

— Oui, je vois. Et que faites-vous ici, commandant ?

Lebreton exposa les grandes lignes de leurs recherches sur Yann Guénan, tout en observant l'attitude corporelle de Valincourt. Ce dernier balançait très légèrement, hautain, distrait, impatient d'en finir. Il l'écoutait, mais sans y accorder de véritable importance. Il continuait de délivrer ses consignes, de répondre à l'un ou l'autre de ses officiers, de parcourir les documents qu'on lui tendait. Le commandant finit par se taire pour forcer l'homme à un minimum de courtoisie. Dans ce silence soudain, Valincourt se décida à considérer son interlocuteur avec plus d'attention.

— Bien, très bien. Elle date de quand, votre affaire ?

— Juillet 93.

— Je vois.

Le divisionnaire arbora un demi-sourire qui eût fait bondir Capestan, et poursuivit sur un ton affecté :

— Commandant, ce que vous me dites est intéressant, nous allons étudier cela…

Il prit le coude de Lebreton et le guida vers la sortie. Une façon polie mais ferme de l'éjecter de la scène de crime. Lebreton se fit lourd et malhabile, pour compliquer la manœuvre et obtenir le temps nécessaire à l'examen du salon. Il voulait savoir si les meubles avaient été fouillés. Il aperçut un gros carnet rouge sur la console du téléphone. On aurait pu le prendre pour un répertoire, mais après des années au Raid où il ne disposait souvent que de quelques secondes pour photographier mentalement une pièce, la mémoire de Lebreton était infaillible : ce carnet ne se trouvait pas là lors de leur précédente visite. Maëlle l'avait mis de côté après son appel de la veille.

Ayant reconduit Lebreton à la porte, Valincourt afficha de nouveau le peu de crédit qu'il accordait aux recherches de la brigade :

— Faites-moi parvenir un rapport de synthèse directement aux Orfèvres. En attendant, vous connaissez la procédure. Nous reprenons la main. Merci beaucoup, commandant, vous pouvez disposer, à présent.

Le divisionnaire fit signe à un agent d'escorter l'intrus jusqu'en bas. Le commandant fut contraint de quitter les lieux sans plus d'éléments, congédié comme le dernier des témoins affabulateurs.

Lebreton réfléchissait tout en redescendant les escaliers. Il attendit d'avoir atteint l'angle de la rue et du boulevard de Bonne-Nouvelle pour appeler Rosière. Elle décrocha tout de suite :

— Salut, Louis-Baptiste… Pilote, couché ! Assis ! Pas bouger alors.

— Elle a été assassinée, annonça Lebreton, l'esprit encore un peu engourdi par la nouvelle.

Ils l'avaient rencontrée une semaine auparavant, à peine. Ils lui avaient parlé de retrouver l'assassin de son mari, et voilà. Elle laissait un fils. Et ils n'avaient pas accès à l'enquête.

Mais ils restaient en charge de l'affaire Yann Guénan. Or ce meurtre pouvait être considéré comme une nouvelle piste. La Judiciaire leur communiquerait forcément les éléments. En attendant, il ne fallait rien laisser passer.

— La Crim est saisie et, bien sûr, ils ne veulent pas s'encombrer de nous. Mais il faut qu'on récupère les infos. Préviens Capestan. Je vous attends dans la brasserie qui fait l'angle avec le boulevard, en face de la poste. Je surveille ce qui se passe. À tout de suite.

31

À l'intérieur de la brasserie, le bruit du percolateur couvrait le bourdonnement des conversations à intervalles réguliers. La radio, elle, était réglée sur une station qui accablait la clientèle de pubs hystériques. Lebreton ne s'entendait plus penser. Au bout du comptoir, le coin tabac alimentait une file de fumeurs disciplinés. Juste à côté de la caisse, le patron, torchon humide sur l'épaule, tirait des demis pression avec un sérieux de pape officiant. Le commandant s'était installé un peu à l'écart, dans le bow-window, avec une vue imprenable sur la rue Mazagran et son bureau de poste d'architecture stalinienne.

De l'autre côté de la vitre, il vit la Lexus noire glisser le long du trottoir et s'arrêter sans un hoquet. Capestan, côté passager, en descendit prestement et se dirigea vers le café, bientôt suivie d'Orsini, Rosière et Pilote. Lebreton se leva à leur entrée.

— Torrez arrive, annonça Capestan, il a eu une idée et il doit repasser chez lui.

Comme d'habitude à l'évocation du lieutenant Scoumoune, les écoutilles s'étaient fermées, la commissaire avait parlé sans être entendue. Elle persévérait pourtant, vaille que vaille, dans sa volonté de banalisation. Elle ôta son trench et, d'un mouvement élégant, le plia sur la chaise. Son regard se posa de nouveau sur Lebreton.

— Alors ?

— Je me suis présenté, mais on m'a remercié : Valincourt veillait, je ne sais pas si vous situez.

— Je situe. Le coup du rapport de synthèse ?

— Exact, fit Lebreton.

Capestan secoua la tête, plus agacée que vexée. Cet accueil ne la surprenait pas. Lebreton resta debout, tandis que Capestan s'asseyait à la table. Merlot fit irruption dans le café, se dirigea directement vers le comptoir et échangea une poignée de main avec le barman. Évrard et Dax le suivaient de près. Eux s'arrêtèrent à la table.

— Ils vont l'avoir, leur rapport. On va boucler l'enquête avant même qu'ils ne la démarrent, ça réglera la question, reprit la commissaire.

— Pour ça, il nous faut les premières constatations, l'heure du crime, le rapport d'autopsie… Vous pouvez passer par Buron ?

Capestan réfléchit. Ses précédents appels aux décideurs du 36 lui avaient servi de leçon. Si la brigade se lançait en concurrence sur Maëlle, mieux valait ne pas annoncer la couleur, ils risquaient de se voir opposer une interdiction catégorique. En revanche, dans l'affaire Yann Guénan et par extension l'affaire Sauzelle, l'assassinat de la veuve constituait un nouvel élément. Or pour poursuivre les enquêtes qu'ils avaient commencées, pas besoin d'autorisation. Toute bonne foi mise à part, ils ne marchaient donc pas sur les plates-bandes de la Crim mais œuvraient en parallèle. Le procédé était cousu de fil blanc et au bout du compte, Buron ne manquerait pas de la sermonner, mais il contournait l'écueil de la désobéissance frontale. Aucune sanction possible.

Avec un inconvénient, toutefois : on ne pouvait rien réclamer.

— Non. Dans un premier temps, on reste autonomes. Et discrets.

Lebreton tiqua. Il aurait préféré tenir la hiérarchie informée. Même si ces dernières semaines commençaient à le rompre aux usages, il appréciait peu ces louvoiements et les marges externes de la légalité. Il fronça les sourcils et s'adossa à la baie vitrée, mains dans les poches de son pantalon. Il se résolut néanmoins à hocher la tête en signe d'assentiment :

— Maëlle m'avait préparé le journal de bord, je l'ai vu à côté de sa box.

— Vous ne l'avez pas montré aux collègues ? s'étonna Capestan en souriant gentiment.

— Non, admit Lebreton. Disons qu'un soupçon de condescendance dans le ton de Valincourt m'a poussé à l'hésitation.

— Faut récupérer ce journal.

— On ne va pas le voler, quand même.

Après une moue indécise, Capestan éluda le sujet :

— Autre chose ?

— Quand on est venus la première fois, elle avait un meuble classeur bleu dans son salon qui contenait le dossier et l'ensemble de ses papiers. Il fermait à clé. Je n'ai pas pu m'approcher et voir s'il avait été fracturé, mais si c'est le cas, alors le tueur cherchait des documents, tout comme nous.

— On doit y retourner, fit Capestan. Il y a la Crim, mais aussi le commissariat du Xe, l'Identité judiciaire… Il leur sera difficile de distinguer les policiers chargés d'enquête des flics de chez nous. Si Valincourt consent à partir, on peut tenter de se rendre sur zone.

— Même si on arrive à jeter un œil, objecta Rosière, on ne pourra jamais rester et prendre des notes sans se faire repérer. Pour les constatations, on est obligés de demander.

— Non, pas envie, persista Capestan en souriant.

— On ne va pas braquer le dossier de la Crim, si ?

— Non, on ne va pas. Je préférerais une autre idée. Si quelqu'un en a une, d'ailleurs…

Tous échangèrent des regards en silence. Ils avaient un problème et pas de solution. Ils ne connaissaient même pas l'heure du crime. On touchait déjà aux limites de l'investigation parallèle.

À travers la vitrine, Capestan aperçut Torrez qui arrivait essoufflé, un sac en papier sous le bras. Il lui fit signe depuis la rue et la commissaire le rejoignit.

— On va pouvoir écouter ce qu'ils disent, annonça-t-il.

— « Écouter ». Rassurez-moi, lieutenant, vous n'envisagez pas de planquer des micros sur une scène de crime ?

Cette fois, le cas de Capestan se réglerait rapidement : case prison. Elle espérait résoudre l'affaire avant la Crim, mais ne comptait pas sacrifier sa liberté pour autant.

— Des mouchards, c'est illégal. Mais ça, on doit pouvoir, fit Torrez en se rengorgeant.

Du sac en papier, il dégagea une boîte qu'il brandit sous le nez de Capestan :

— Écoute-bébé numériques ! Admirez ces merveilles : mille mètres de portée, détection d'éloignement, trois niveaux d'alarme, veilleuse et ondes maîtrisées. Un must de la surveillance du nourrisson. Ils m'ont fait les deux derniers, acheva-t-il avec satisfaction.

Capestan contempla ce policier plein de ressources. Il rayonnait d'un orgueil tout paternel. Des babyphones dans l'appartement d'une nounou. Les outils d'espionnage les moins discrets du monde et pourtant aucun flic ne relèverait leur présence.

32

Évrard gravissait en silence les marches en bois usées. Elle caressait machinalement la surface lisse du babyphone à l'intérieur de sa poche. Il avait la rondeur d'un galet talisman.

Il s'agissait de bien le placer. Si Évrard se débrouillait correctement, ils avaient une chance de résoudre les meurtres des Guénan et d'être reconnus comme des flics légitimes, pas une boîte de vieux clous. Si elle échouait, en revanche, elle se faisait pincer en pleine tentative d'écoute illégale. Quitte ou double.

De la discrétion, se faire oublier, passer comme une ombre. Évrard savait faire ça. Ni blonde, ni rousse, ni brune, elle endormait. Avec le temps, ce qui n'était qu'une tactique s'était transformé en fatalité. On ne la voyait plus. Rapidement, à force de jouer les sans goût et sans saveur, elle était devenue sans envie et était partie quêter l'adrénaline dans des zones de plus en plus reculées.

Elle s'était d'abord mise au jeu pour l'excitation de la victoire, puis, comme tous les accros, elle avait commencé à jouer pour perdre. Cette seconde où une vie entière se décide, ce tour de roulette qui engloutit l'épargne, creuse les dettes et sépare les familles. L'appel du vide. On a rarement l'occasion de regarder le hasard en face et de le voir hésiter.

Elle n'avait jamais eu grand-chose à perdre, mais cette fois, la brigade lui plaisait. Évrard avait le sentiment de regagner la surface. Elle marchait sur la ligne de crête, en léger déséquilibre, mais elle avançait. Il fallait poser le babyphone.

La minuterie s'éteignit brutalement. Évrard ne voyait plus rien et, d'instinct, elle se figea, cherchant une veilleuse du regard. Elle entendit Merlot trébucher et jurer avec fougue en atteignant le palier. La lumière revint après un « clang » et Évrard aperçut un jeune agent qui descendait à toute vitesse, sa main courant le long de la rampe. Elle baissa automatiquement les yeux et se rapprocha du mur, l'homme la croisa sans la remarquer. Quelques mètres plus bas, la voix de Merlot retentit : « Holà ! Tout doux, mon garçon ! » L'agent s'excusa et réduisit sa vitesse avant de disparaître. Merlot et sa faconde dynamitaient toute tentative de discrétion. Il la rejoignit, reprenant péniblement son souffle, et tendit la main vers les hauteurs :

— Permettez que je vous précède, chère amie.

Évrard acquiesça malgré elle. Il allait tout gâcher.

Ils arrivaient en vue du quatrième étage. Depuis la porte entrouverte, on percevait le bruit des équipes au travail. Un OPJ au menton carré, en sweat à capuche, sortit de l'appartement de Guénan. Évrard reconnut un ancien de l'OCRB croisé sur une affaire des Jeux. Une brusque suée perla dans son dos. S'il la reconnaissait, c'était foutu. La main d'Évrard trembla dans sa poche et elle resserra la prise autour de l'émetteur. Dans un premier temps, le regard de l'officier passa sur elle sans la voir, mais elle sentit qu'il allait y revenir. Pour une fois qu'on se souvenait d'elle, il fallait que ce soit maintenant.

À la seconde où le policier fronça les sourcils, prêt à faire la connexion, Merlot l'apostropha sur un ton de Gascon de retour de campagne :

— Heureux de te revoir, camarade ! Il s'en est passé de belles depuis le canal de l'Ourcq !

Menton carré s'arrêta pour saluer ce chaleureux collègue. Il fouillait sa mémoire à la recherche de cette histoire de canal et Évrard en profita pour se glisser dans l'appartement.

Dans le salon en désordre, le procédurier mettait en marche son dictaphone afin d'enregistrer les constatations ; autour de lui, les TIJ achevaient de relever les traces papillaires. Évrard émit un de ces « Bonjour » qui sonnent plus naturellement que le silence mais ne se projettent pas suffisamment pour détourner l'attention. Les équipes répondirent sans noter la présence du lieutenant. Évrard était un ultrason : elle était là, mais personne ne l'entendait. Un appeau à fantômes.

Elle assura sa prise sur le babyphone dans sa poche et posa le pouce sur l'interrupteur. Elle l'enclencha et un léger larsen fila dans la pièce. Les têtes se relevèrent.

Évrard se retint de pivoter brusquement. Un des techniciens qui étudiait la moquette se leva, éteignit son talkie qui traînait sur une chaise, puis reprit son travail. Évrard s'approcha du panier de jouets dans le salon et déposa l'émetteur au milieu des cubes en caoutchouc. Un bout de pansement masquait le voyant de marche.

Restait à emporter le carnet. « Planque-le dans ta manche », avait conseillé Rosière, goguenarde. C'était exactement ce qu'Évrard comptait faire. Elle avisa la box, s'approcha et, d'un mouvement souple, subtilisa le journal de bord.

Mission accomplie.

Avant de ressortir, elle repéra le meuble classeur.

Il avait été fracturé.

33

En attendant le retour des éclaireurs, la tablée avait commandé des cafés. L'heure du déjeuner approchait et la brasserie s'animait sur fond de tintements de couverts. Capestan observait Lebreton, toujours adossé à sa vitre. Une fossette tracassée était apparue au-dessus de son sourcil droit, dans la lignée de la ride qui lui barrait la joue. Il semblait ruminer la tournure que prenaient les événements. Pour la première fois de sa carrière, il entrait de plain-pied dans l'illégalité. La cause était juste, mais les moyens employés déparaient son plastron immaculé. Il devait en avoir assez de dévaler ces marches. Capestan se surprit à compatir, elle qui depuis longtemps avait dégringolé tout l'escalier sur les fesses. Le commandant vérifia son paquet de cigarettes, il en restait quatre, et il sortit en fumer une en compagnie de Rosière.

Capestan avait suivi les conseils de Lebreton et contacté le vétérinaire. Celui-ci avait confirmé que Petibonum, un jeune chat en pleine santé au moment des faits, possédait une caisse de transport, un modèle gris et bordeaux, garni d'un plaid en laine criblé de poils. Tôt ce matin, la commissaire était retournée vérifier dans la maison. Aucune caisse nulle part : le meurtrier était bien reparti avec le chat. Pour qu'il ne meure pas ? Pour qu'il ne miaule pas ?

Capestan se posait encore la question tout en déballant le récepteur dodu du babyphone quand Lewitz débarqua. Il gara sa voiture, une Laguna jaune avec becquet arrière et quatre rangées de feux stop, sur le passage clouté. Lebreton agita sa cigarette devant le pare-brise et ordonna au brigadier de libérer le bateau pour laisser le passage aux poussettes et aux handicapés. Lewitz opéra alors une manœuvre audacieuse. Maniant sa Renault comme une Smart, il la parqua à la perpendiculaire, en hissant les deux pneus arrière sur le trottoir. La voiture exposait désormais son pot d'échappement aux clients de la terrasse. Lebreton abdiqua en soupirant.

Torrez se tenait à l'écart et observait les événements depuis une banquette coincée contre un vieux flipper éteint. En plus de son matériel de puériculture, le lieutenant avait rapporté quelques nouvelles de ses recherches sur l'emploi du temps de Marie Sauzelle. À force d'appeler les clubs pour identifier la fameuse soirée à laquelle elle devait se rendre, il avait arrêté plusieurs dates : le 30 mai au soir, elle avait assisté – et même participé avec fougue, se souvenait le professeur – au spectacle de fin de saison du cours de tango. Le 4 juin, en revanche, elle avait raté le loto estival du club de tarot, alors même qu'elle lorgnait sur un des lots – le gigot entier, avait précisé le président. Marie était donc morte entre les deux. Ça resserrait le planning, mais on ne tenait toujours pas la soirée clé : Torrez avait rappelé le frère à propos du spectacle et André affirmait que sa sœur en avait déjà longuement parlé avant d'évoquer la « réunion ». Ce n'était donc pas ça.

Capestan enclencha le bouton de marche du récepteur. Telle une grappe d'adolescents autour d'un unique expresso, la brigade s'amalgama dans le bow-window. Sur la table, l'écoute-bébé crépitant trônait au milieu des tasses, soucoupes et papiers de sucres froissés. Il émit soudain un son plus net, suivi du timbre métallique d'une voix amplifiée. Victoire ! Évrard était parvenue à placer l'appareil dans le salon. Les policiers se penchèrent tous de concert vers l'émetteur.

« … ico-légales préliminaires… eut lieu ce matin entre huit heures et dix heures… »

L'équipe entière hocha la tête : ils avaient l'heure du crime. De nombreux silences, sans doute destinés à la prise de notes, émaillaient le discours.

— C'est le procédurier qui cause, déduisit Rosière.

« … pas d'agression sexuelle… pas de traces défensives… »

— Le meurtrier a été très rapide ou la victime connaissait l'agresseur, conclut Capestan.

« … coup de lame, plus d'argent, plus de bijoux, pas d'ordinateur… »

Derrière la voix déformée, on distinguait des raclements de meubles, des froissements de bâches, le zip d'une fermeture éclair et des dialogues plus lointains, à peine perceptibles. « … cinq couteaux identiques à l'arme du crime dans la cuisine… cambriolage… »

— Naturellement, commenta Lebreton avec une moue désabusée.

Le commandant avait raison, le vol n'était destiné qu'à détourner l'attention. L'ordinateur avait néanmoins disparu.

« … Un fils, Cédric Guénan, vingt-quatre ans, résidant à Malakoff… » Valincourt devait déjà se rendre sur place pour lui communiquer la triste nouvelle. L'estomac de Capestan se serra.

En dehors de ces premiers éléments, la brigade n'apprit pas grand-chose, si ce n'est que le commandant Servier était le chef de groupe chargé de l'enquête, un pur produit du 36. Capestan et Rosière le connaissaient, sans plus, pas de quoi réclamer des renseignements au nom d'une vieille amitié.

Merlot et Évrard réapparurent quelques minutes plus tard avec des mines de croisés rapatriant le Saint-Suaire.

— Laissez agir les professionnels ! lança Merlot, bras levés, dans un gargouillement d'autosatisfaction.

Après avoir accueilli avec bonhomie les congratulations générales, qui toutes lui parurent réservées, le capitaine fendit la foule, le bide comme une proue de navire, en direction du bar et d'une juste récompense. Évrard resta près de la table. Quelques mèches encore trempées de sueur lui collant au front, elle demanda :

— Alors ? On en est où ? On a une chance de les gratter ?

Rosière répondit tout en démêlant la laisse de Pilou qui avait tourné autour de la chaise.

— On a une petite avance avec l'affaire du mari, mais faut pas rêver : ils sont plus nombreux, avec de plus gros moyens et tous les képis du quartier qui se trémoussent à l'idée de collaborer avec la Criminelle.

— C'est une enquête, pas une compétition, intervint Lebreton.

— Tatatata ! reprit Rosière. Évidemment que c'est une compète mon poulet ! Où tu crois qu'on les récupère, nos galons ? En leur livrant le dossier bien plié avec un ruban ? Tu veux pas qu'on leur file notre code de carte bleue aussi ?

— Disons que ce n'est pas une compétition, mais qu'on souhaite arriver les premiers, trancha Capestan en souriant.

— Qu'est-ce qu'on fait, alors ? demanda Évrard.

— Tant qu'ils n'ont pas replié, on reste, pour s'assurer qu'il n'y a pas du nouveau.

Capestan se leva pour aller trouver Merlot avant que celui-ci n'ait gravement entamé les stocks du débit de boisson.

— Capitaine…

— La patronne ! lança-t-il en hissant haut son verre d'anisette, que puis-je pour vous servir ?

— Je vous avais demandé s'il y avait un historique entre Buron et Riverni, vous avez pu entendre quelque chose finalement ?

— Absolument ! J'oubliais.

Merlot posa son verre d'un geste précautionneux, tapota sa veste à la recherche de lunettes et les chaussa pour lire un petit bout de papier froissé tiré de sa poche de pantalon.

— 2009. Buron devait déjà prendre la tête de la PJ, mais à ce moment-là Riverni qui œuvrait à l'Intérieur s'y est opposé. Une histoire d'ami d'ami et de retour d'ascenseur. Toutefois, il semble qu'à l'époque, Buron l'ait plutôt pris avec philosophie. Voilà.

Merlot replia le papier et ôta ses lunettes.

— Ai-je accédé à vos désirs, commissaire ?

— Absolument, capitaine, merci beaucoup.

Capestan ignorait encore si c'était une bonne ou une mauvaise nouvelle, mais indéniablement, c'était une nouvelle. Elle décida de méditer seule sur les différentes hypothèses avant d'en informer les troupes. Elle tenait un atout, elle ne savait pas encore dans quel jeu.

*

Deux heures plus tard, la Crim n'ayant pas migré, la brigade traînait toujours dans la brasserie. Debout au bar, Évrard, Dax et Lewitz disputaient une partie de 421, pendant que Merlot, dans la version augmentée de ses exploits, s'épanchait auprès des joueurs sans qu'aucun d'eux ne s'en émeuve une seconde. Orsini était demeuré dans le bow-window, aux côtés de Capestan, mais sans participer aux débats, se contentant de contempler ses longues mains. Rosière avait annexé la table derrière eux et découpait un confit de canard aux pommes sarladaises. Répercutée par les reflets de la vitrine, sa tignasse rousse l'auréolait de gloire. Capestan s'adressa à Lebreton, assis entre les deux tables, sur une chaise qu'il avait basculée contre la vitre.

— Un suspect pour Maëlle Guénan ?

Le commandant acquiesça lentement en contemplant le fond de sa tasse.

— J'étais en train d'y réfléchir, justement. Hier, Maëlle a glissé que d'autres personnes voulaient lui parler. Elle avait peut-être rendez-vous ce matin.

— Jallateau ?

— Non, je ne pense pas, il n'y avait rien d'hostile dans le ton, mais, et c'est à ça que je réfléchissais, il n'y avait rien d'intime non plus. Il devait plutôt s'agir d'une vague connaissance.

Lebreton eut une moue sceptique et releva le nez de sa tasse pour regarder Capestan :

— Aussi bien, cela n'a aucun rapport.

Il n'était pas convaincu. Capestan se tourna vers Rosière :

— Qu'est-ce que vous en pensez, vous ?

Rosière déglutit et agita son couteau avant de répondre :

— Jallateau reste dans mes favoris. Il est lié à Yann Guénan, il est lié aussi à Sauzelle et une semaine après notre visite aux Sables-d'Olonne, la veuve se fait refroidir. La coïncidence mérite qu'on s'y attarde. On a peut-être dit un truc qui l'a inquiété, il a voulu nettoyer le terrain. Il était le genre de type à vouloir tout maîtriser. En tout cas : mort violente de la femme, vingt ans après celle du mari, au beau milieu de notre enquête, c'est pas un hasard.

Rosière eut un sourire entre deux bouchées de canard :

— Je propose qu'on retourne aux Sables et qu'on lui foute une trempe.

Capestan avait du mal à se faire une idée concernant le constructeur vendéen. Elle ne l'avait ni vu ni entendu. Elle se tapota le menton de l'index et porta son regard sur la rue. Sur le trottoir opposé, un jeune homme en bermuda descendait de son vélo. « Il est réchauffé, ce gamin », pensa-t-elle, avant que son cerveau ne remarque la tache verte du casque.

Soudain elle réalisa : le casque, le bermuda, les baskets, elle ne pouvait distinguer l'oreille mutilée, mais la silhouette correspondait au visiteur de Naulin. Que faisait-il ici ?

Le garçon, en nage, ôta son sweat-shirt et le posa sur sa selle, le temps de cadenasser son vélo au poteau de signalisation. Il releva la tête et dégagea les cheveux qui dépassaient de son casque. C'est à cet instant qu'il remarqua les voitures de police. Il se pétrifia.

Pourquoi cette réaction ? Capestan bondit de sa chaise et interpella Torrez à travers la salle :

— Torrez ! L'Écureuil de Naulin, là-dehors ! J'y vais.

34

D'un pas hésitant, le jeune homme s'approcha de l'attroupement qui s'était formé aux abords du cordon de sécurité. Deux quidams plantés là discutaient et ils durent dire quelque chose qui choqua l'Écureuil, car celui-ci pâlit d'un coup et fit demi-tour. Capestan attendit qu'il ait regagné l'angle du boulevard pour pouvoir l'aborder sans se faire remarquer des policiers en faction.

Il arrivait à sa hauteur, en tirant nerveusement la sangle du casque vert toujours attachée sous son menton. Il s'apprêtait à repasser son sweat-shirt et partir, quand Capestan fit un pas et lui montra discrètement sa carte de police. La commissaire vit les yeux noisette s'agrandir, le jeune homme se figea une seconde, puis fila comme un dard sur le boulevard, abandonnant là son sweat et son vélo.

Surprise, Capestan rangea sa carte à la va-vite dans la poche de son trench et se lança à sa poursuite. En doublant la brasserie, elle sentit que Torrez la rejoignait sur son aile gauche.

Le garçon était jeune, léger et rapide. Il s'engagea sur le boulevard dans le sens de la descente et atteignit le carrefour avec la rue Saint-Denis en quelques secondes. Au passage piéton, le feu passa du rouge au vert. Au moment où les voitures démarraient, l'Écureuil bondit pour traverser. Des crissements de pneus et un concert de klaxons éclatèrent. Les automobilistes s'élancèrent dans son dos au fur et à mesure qu'il avançait, faisant hurler les moteurs de colère, empêchant Capestan de traverser à son tour. Elle était bloquée de l'autre côté, passant d'un pied sur l'autre et guettant une brèche dans la circulation, mais impossible de s'engager. De loin, à travers le flot des voitures, elle vit le garçon couper la rue Saint-Denis. Un groupe de quatre adolescentes apparut au même instant, lui masquant brièvement la vue. Quand elles s'écartèrent, le garçon avait disparu.

Capestan sauta sur place pour le discerner dans la foule. Il ne pouvait pas s'évanouir ainsi. Naulin l'avait vu chez Marie Sauzelle et on le croisait devant l'immeuble de Maëlle Guénan. Comme la pétition du marin, ce garçon faisait le lien. La brigade tenait un nouveau bout de ficelle pour assembler les affaires, sauf que celui-ci était doué de parole, il suffisait de lui poser des questions pour obtenir enfin une explication. Qu'à peine saisi, il leur échappe déjà, ce n'était pas possible.

Le feu refusait de passer au rouge. Capestan tenta un pas en avant, une Chevrolet la frôla, la rabattant précipitamment contre le trottoir. L'Écureuil devait prendre de l'avance. Sous le coup d'une impulsion, alors qu'une voiture accélérait, Capestan força le passage.

Derrière elle, elle perçut la voix pétrie d'angoisse de Torrez qui hurlait « Non !!! » à pleins poumons, mais elle parvint à atteindre le milieu du boulevard. Tendant la main pour ralentir les véhicules à l'approche, elle franchit la dernière portion de chaussée et sauta sur le trottoir. Cent mètres plus loin, elle distingua le casque vert qui décampait. Elle accéléra.

Tout en poursuivant sa course, le garçon tourna brièvement la tête et aperçut Capestan qui se rapprochait. Il slaloma entre les passants et vira à gauche dans le passage Lemoine. De nouveau, elle le perdit de vue. Elle puisa dans ses réserves de sprint pour gagner le passage avant qu'il n'en sorte et atteignit l'angle juste à temps pour le voir prendre à droite sur le boulevard Sébastopol. En se précipitant à sa suite, elle heurta deux vendeurs d'une boutique de jeans qui fumaient leur clope sur le trottoir.

Qui était ce garçon ? Que faisait-il là ?

Il venait de traverser le boulevard Sébastopol, à hauteur de la rue de Tracy, lorsqu'une femme décrocha son vélo de la borne Vélib'. Reculant sans prévenir, elle déséquilibra le jeune homme qui déboulait à pleine vitesse. Capestan craignit qu'il ne saisisse l'occasion pour s'emparer du vélo et lui échapper définitivement, mais non. Il fit au contraire un brusque crochet pour l'éviter, qui permit à Capestan de récupérer quelques mètres. Ses poumons commençaient à la brûler et elle se demanda combien de temps encore elle était capable de tenir. Devant, sa cible libérait sa course sans accuser le moindre signe de fatigue. Vingt ans de moins, des kilomètres de réserve en plus. Capestan devait trouver un moyen d'accélérer et de le rattraper rapidement : à l'endurance, elle ne le coincerait jamais.

D'où connaissait-il Marie et Maëlle ? Que leur voulait-il ?

Il longea les grilles du square Chautemps et jaillit rue Saint-Martin, tamponnant un homme qui sortait de la poste et envoyant valser son colis sur le trottoir. Mécontent, l'homme lançait sa bordée d'injures au moment où Capestan arrivait. Elle aperçut le casque vert qui coupait en diagonale le carrefour de la rue Réaumur et s'élançait à son tour, quand un crissement de freins lui fit tourner la tête. Un bus arrivait droit sur elle. Elle aperçut le visage horrifié du chauffeur derrière le pare-brise. Capestan eut à peine le temps de lever un bras pour se protéger.

Elle sentit un coup, mais ce n'était pas le bus : deux mains venaient de frapper son dos et de la projeter en avant, sur le trottoir d'en face. À l'atterrissage, sa hanche percuta le bitume, lui arrachant un cri de douleur. Capestan perçut le bruit mat d'un choc derrière elle et des hurlements qui s'élevaient alentour. Elle se retourna vers la chaussée et vit Torrez étendu à terre, le crâne en sang. La main sur la hanche, elle rampa jusqu'à lui, l'appelant pour qu'il réagisse, priant pour qu'il ne soit pas mort. Lentement, il leva son visage vers elle.

Il arborait un sourire bancal et, d'une voix faible, il la rassura :

— Je vais bien. Je suis content.

Il sourit encore, puis s'évanouit.

Le hululement d'une sirène d'ambulance se rapprochait. Capestan l'attendit, assise à côté du lieutenant.

35

Un interne chevelu venait de relayer le médecin de garde. Torrez avait la clavicule brisée, et plusieurs hématomes dont un qui couvrait toute sa cuisse droite, il avait été sévèrement sonné, mais ses jours n'étaient plus en danger. Il dormait.

Suivie de Lebreton, Rosière poussa les deux battants de la porte qui séparait les urgences de l'accueil.

— Il ne craint plus rien, annonça Capestan.

Les deux policiers eurent un soupir de soulagement.

— On le transfère dans une chambre individuelle. Sa femme est sur le trajet, mais il faudrait qu'on se relaie nous aussi, que quelqu'un de la brigade soit là.

— Bien sûr. On a récupéré le sweat-shirt, fit Lebreton en lui tendant le vêtement.

Capestan remarqua des poils de chat sur les manches. Il fallait le porter à l'analyse. Elle en chargea Lebreton et demanda qu'on organise une planque devant le vélo du jeune homme.

Quel gâchis de l'avoir laissé s'échapper.

— Le gamin correspond à la description de Naulin, c'est ça ? demanda Rosière.

— Oui. Il faut absolument obtenir son identité. Il a un lien avec les victimes, on doit découvrir lequel. Pour cela, il faut l'interroger, et pour cela, il faut le trouver.

— À cet âge, il est forcément le fils, le neveu, l'élève ou le petit frère de quelqu'un, commença Lebreton.

Le visage de Capestan s'illumina soudain :

— Des Guénan ?

— Non. La photo de leur fils était encadrée, ce n'est pas lui.

La commissaire secoua doucement la tête et fixa un point au bout du couloir. Elle réfléchit ainsi quelques secondes, en frottant la cicatrice sur son index.

— Il faut que Naulin se souvienne des termes exacts de son entretien avec le garçon et on rappelle tout le monde : Jallateau, André Sauzelle, les amis des victimes, même le promoteur… Si c'est possible, il faudrait parler au fils de Maëlle Guénan, ils sont dans la même tranche d'âge, c'est peut-être lui que l'Écureuil venait voir ?

Capestan se redressa et se tourna vers Lebreton.

— Commandant, je vous confie les manettes sur les recherches. De mon côté, je vais voir Buron. Nos infos deviennent trop importantes pour se les garder à gauche. Je vais demander notre rattachement à l'enquête.

Rosière, la moue sceptique, prévint la commissaire :

— Il n'acceptera jamais. Ou faudra bien lui passer le coussin sous les fesses.

Avant de pénétrer au siège de la Police judiciaire et d'y affronter le cador des lieux, Capestan s'offrait un répit au bord de la Seine. Elle était remontée par les berges. Après Notre-Dame, celles-ci rétrécissaient et perdaient brièvement tout attrait touristique. Les rares réverbères éclairaient des pavés déchaussés, constellés de fientes et de plumes de pigeons. En passant sous l'arche sombre du pont Saint-Michel, on entendait le clapot des eaux saumâtres battre la rive. Une odeur de vase se mêlait aux effluves de crasse citadine. L'écho de ses pas se répercuta sous la voûte, puis de nouveau les berges s'élargirent, c'était le retour de Paris et ses flonflons. Capestan, par automatisme, s'installa sur le banc qui accueillait ses réflexions du temps de la BRB. Elle frissonna au contact de la pierre froide. Elle s'appliquait à vider son esprit quand, de la rive opposée, lui parvint le rire franc d'un homme qui parlait à un ami. Le rire, la carrure : une fraction de seconde, Capestan crut reconnaître son ex-mari. Une mélancolie brutale lui pesa sur les épaules. Elle organisa illico le reflux et quitta son banc. Il était temps de retrouver Buron.

36

L'antre de Buron était maintenant tapissé de vitrines anciennes, chacune exhibant sa propre collection : médailles, pipes, boîtes à pilules, anthologies de la poésie française reliées pleine peau, et, à portée immédiate, les fleurons de sa collection de lunettes de vue, à varier selon ses envies, coquetterie ou manipulation. Du côté du fleuve, le crépuscule approchait et dans la pièce assombrie, seule une lampe en opaline verte diffusait sa lumière tamisée. À l'approche de Capestan, le directeur demeura assis et se contenta de désigner le siège face à lui. Il repoussa à peine les papiers sur son sous-main. Il reboucha son stylo, mais le laissa sur les documents, prêt à servir.

— Bonsoir, Capestan. Je n'ai pas beaucoup de temps, qu'est-ce qui vous amène ?

— J'aurais aimé joindre notre brigade à la Criminelle sur l'affaire de la rue Mazagran.

— Hors de question, asséna Buron en réalignant sa pile de feuillets.

— On dispose d'autres éléments, on enquête sur le meurtre de son mari et d'une…

— Non. J'ai dit non.

Buron avait décidé de se montrer obtus. Capestan remua sur son siège et se pencha en avant. Elle ne comprenait pas qu'il oppose une quelconque résistance. Ça n'avait aucun sens.

— Mais on est là pour quoi, au juste ? Si on ne peut même pas aider. Pourquoi créer notre unité ?

— Pour tous vous rassembler, je vous l'ai déjà expliqué, ne m'obligez pas à devenir plus précis…, fit-il en chassant l'air d'un geste excédé.

— Si, je veux bien.

— Capestan, on vous a mis dans le même bocal parce qu'il fallait vous isoler. Vous êtes ingérables et, plus particulièrement, in-dé-si-ra-bles. Je ne veux pas de vous au milieu d'une enquête officielle.

— Vous noircissez les portraits, on n'a rien d'effroyable, protesta Capestan avant que le souvenir de son propre palmarès ne l'oblige à rectifier le tir.

— Pour mon cas, je le concède, ajouta-t-elle. Mais les autres ne sont…

— Vous êtes là uniquement parce qu'on ne peut pas vous révoquer ! coupa Buron en martelant chaque syllabe. Ça va rentrer ? On vous paye pour jouer aux dominos ou tricoter. Demandez à Évrard de vous apprendre la belote et fichez-moi la paix une bonne fois pour toutes, commissaire.

Buron semblait remonté comme un coucou. Capestan était épuisée, lessivée par la poursuite, Torrez dans le coaltar, le gamin dans la nature, sa hanche qui lançait. Elle était venue proposer des informations et, en échange, elle subissait une hargne imméritée. Sans énergie, le cerveau en marmelade, elle se sentit acculée.

— Mais enfin, il n'y a pas que des branques dans cette brigade, je ne comprends pas…

— Pas que des branques ? Réveillez-vous, Capestan, à la fin. Dax et Lewitz, les crétins enthousiastes, Merlot et sa tronche de raisin, Rosière et ses feuilletons débiles, Torrez…

— Justement, il est à l'hôpital, Torrez…

— Qu'il démissionne au lieu d'imposer sa poisse !!! Orsini…

Capestan en eut assez. Buron dépassait les bornes, elle n'avait pas à se justifier. Elle opéra un brusque revirement tactique.

— Dans votre panel de caractériels, vous avez une case pour les sournois ?

— Capestan, ne commencez pas…, fit le directeur en s'adossant à sa chaise et en repliant les branches de ses lunettes cerclées d'acier.

— Ne le prenez pas mal, mais je suis allée piocher quelques renseignements. Riverni, ce ne serait pas le haut fonctionnaire qui vous a bloqué la route en 2009, par hasard ? Et puis, tant que j'y suis, c'est quoi ces affaires qu'on récupère ? On est les seuls à savoir qu'elles sont liées, ou non ? La Criminelle se débarrasse de dossiers, comme ça, sans que vous n'y trouviez rien à redire. La Criminelle ? Des crimes, donc. Poubelle ? Sérieusement, pourquoi ?

Buron fit vriller ses lunettes pensivement, sans répondre. Ses yeux de basset larmoyaient toujours un peu et seule la brosse de ses cheveux gris maintenait son profil d'officier. Il se gratta la tempe avec la branche d'acier. Tous deux se turent un instant.

Capestan laissa son regard s'égarer vers la fenêtre. Le platane sur le quai avait perdu ses dernières feuilles. Restaient les boules piquantes dans les branches, des bogues pétrifiées qui s'accrochaient vaille que vaille, formant un sapin de Noël macabre. Capestan soupira et revint sur Buron.

— En fait, je suis sûre que vous nous avez enterrés là dans le seul but de répondre aux questions que vous vous posez. Vous savez quels leviers actionner pour me faire agir, mais je vous connais aussi, monsieur le directeur. J'ignore encore pourquoi, mais il y a des affaires que vous préférez voir traiter en cachette. C'est pour cette raison que vous avez monté notre brigade. C'est tout. Alors, donnez-moi les moyens de vos ambitions. On l'étudiera en douce puisqu'il le faut, mais je veux le dossier de la veuve Guénan.

Buron arbora le faible sourire du vaincu qui tient à rester fair-play. Capestan eut de nouveau la sensation désagréable d'être parvenue exactement là où il voulait l'amener.

— Je vous fais suivre une copie, dit-il.

— Et une sirène, poussa Capestan. C'est pour Torrez. Ça lui manque.

37

Une odeur d'oignons frits envahissait la cage d'escalier et Capestan fut saisie d'une brusque fringale. Sous le bras, elle serrait la copie du dossier de Maëlle Guénan que Buron lui avait finalement obtenu. Après s'être essuyé les pieds sur le paillasson, elle entra dans le commissariat.

À vingt et une heures, tout était éteint. Seul un rai de lumière brillait sous la porte de la cuisine. Là se tenait sans doute la source de cet arôme, certes appétissant mais saugrenu pour un poste de police. Capestan commençait à se sentir bien dans la chaleur de cette brigade, la vie s'y déroulait agréablement, dans une solidarité titubante. Le métier y perdait un bout de gravité.

Elle posa le dossier sur son bureau et, debout dans l'obscurité de la pièce, elle observa la rue à travers les carreaux. Les lanternes diffusaient une lumière jaune sur les pavés luisants de pluie. Avec les touches colorées des enseignes de sex-shops, la rue Saint-Denis dégageait une gouaille très Belle Époque. Des vasistas perçaient le toit en zinc de l'autre côté de la place et, dans ce Paname, on ne savait qui surgirait en premier, de Toulouse-Lautrec ou de Ratatouille.

Dans l'immeuble à droite, une grande fenêtre sans rideaux révélait une pièce de taille moyenne, sans doute un studio. Assis à une table, un jeune homme en T-shirt fixait l'écran de son ordinateur portable tout en soulevant le blister d'un paquet de jambon. Il roula une tranche et la goba en deux bouchées. Après avoir fait subir le même sort aux trois tranches suivantes, il gratta la surface du paquet et décolla un petit carré rouge vif, sans doute un bon de réduction. Il souleva une fesse pour récupérer son portefeuille dans la poche arrière de son jean, ouvrit le rabat et inséra le bon avec précaution dans une des fentes réservées aux cartes de crédit.

Les coupons de réduction. L'estomac de Capestan se noua de nostalgie au souvenir de sa grand-mère. Chaque matin, cintrée dans son kimono à motifs brun et or, elle s'installait au bout de la grande table de monastère de la cuisine. Elle versait l'eau chaude sur la chicorée, ajoutait du lait et deux sucres, allumait sa cigarette, puis attaquait la pile de prospectus reçus la veille. Elle tournait chaque page méticuleusement et, lorsqu'une offre lui semblait alléchante, elle calait sa cigarette dans l'encoche du cendrier, prenait la paire de ciseaux posée à côté et découpait la promotion distinguée. Elle les classait, au fur et à mesure, en trois piles : alimentaire, droguerie, services. C'était comme empiler des billets de banque, avec en plus la couleur, la variété, une ouverture sur un monde où tout était à tester. Aucun des petits-enfants assis à la table ne se serait avisé de perturber un travail d'une telle importance. Ils observaient, fascinés.

Capestan recula de la fenêtre devant laquelle elle s'était postée. Elle s'apprêtait à rallier la cuisine et ses collègues, quand une connexion soudaine électrifia ses neurones : la boîte de coupons chez Marie Sauzelle et l'autocollant « Pas de pub, merci » sur la boîte aux lettres. Les deux étaient parfaitement incompatibles. Si Sauzelle collectionnait les réductions, elle ne pouvait pas en bloquer la principale source d'alimentation. Ce sticker avait été posé par quelqu'un d'autre. Et si Marie ne l'avait pas arraché, c'est qu'elle ne l'avait pas vu. Si elle ne l'avait pas vu, c'est qu'elle était morte quand il était apparu.

Le tueur l'avait apporté avec lui.

Dans quel but ?

Sans doute pour éviter l'effet boîte pleine, qui est un indicateur d'absence ou de problème. Le voisinage se serait inquiété plus tôt. Le meurtrier voulait retarder la découverte du corps.

De nouveau : dans quel but ?

Il ne servait à rien de compliquer l'autopsie, la cause de la mort, par étranglement, était manifeste. Capestan réfléchit quelques instants. À cause de ce délai, en revanche, on n'avait pas pu établir le jour du décès avec certitude. Ce qui dispensait le meurtrier de se fabriquer un alibi.

Il avait agi seul et ne fréquentait personne qui soit suffisamment digne de confiance pour le couvrir.

Si l'assassin était venu avec l'autocollant en poche, alors le meurtre n'était pas opportuniste mais prémédité. On n'avait plus affaire à un tueur colérique, dépassé par ses émotions, on recherchait quelqu'un de calculateur. Capestan repensa à la mamie en position de dignité et au chat épargné. Un calculateur doté d'une certaine forme de conscience morale, mais qui, si l'on en croyait le lien avec les Guénan, n'avait pas hésité à supprimer trois personnes.

La commissaire poussa doucement la porte de la cuisine. Rosière, postée devant la vieille gazinière, tournait une cuillère en bois dans une vaste poêle en cuivre. On entendait frémir les oignons dans l'huile d'olive. Pilou, le flanc collé au mollet de sa maîtresse, veillait à ce qu'aucune chute ne ternisse le carrelage. Lebreton fumait, assis sur une chaise entre terrasse et cuisine. Ils avaient débouché une bouteille de vin et sirotaient un verre. Au pied de la baie vitrée, Capestan remarqua la pile de planches à la provenance douteuse que Lewitz avait entreposée. Il affirmait détenir de solides notions de menuiserie et ambitionnait de créer une cuisine équipée. La boîte à outils flambant neuve trahissait au contraire le débutant, mais, à côté, un Tupperware plein de charnières et un sachet de poignées assorties prouvaient l'esprit d'implication du bricoleur. Cette cuisine se monterait avec cœur, à défaut de métier.

Pour s'annoncer plus qu'autre chose, Capestan lança joyeusement :

— Qu'est-ce que vous faites encore là ? Vous n'avez pas de maison ?

Avec un infime mouvement de sourcils, Lebreton se tourna vers la terrasse pour souffler sa fumée. Rosière eut un petit sourire triste et Capestan s'empressa d'ajouter :

— Moi non plus, faut croire. Ça sent bon.

— Des spaghettis oignons, olives, parmesan, une recette à moi. Si vous en voulez, j'en ai fait pour une brigade…

— Volontiers, répondit Capestan en attachant ses cheveux avec l'élastique noir qu'elle gardait au poignet. Comment va Torrez ?

— Bien, le toubib est optimiste. Par contre, pour se relayer à son chevet, les collègues ne sont pas très chauds… Ils l'aiment bien, mais…

— D'accord. Je vois. J'irai demain. Pour le gamin…

— Pouce, interrompit Rosière avec un sourire. Manger. Boire. Pas bosser. Après.

— C'est vrai. On n'a pas volé la récré.

Lebreton descendit à la recherche d'une baguette de pain. Rosière surveillait sa poêle, tandis que Capestan suivait vaguement le ballet des pâtes dans l'eau bouillante. Le zonzon du frigo vibrait dans la pièce.

— Et toi alors ? Célibataire ? demanda Rosière avec son aplomb ordinaire.

Elle était passée au tutoiement dès le deuxième verre.

— Oui, répondit Capestan.

— Depuis longtemps ?

Capestan prit une inspiration, comme si elle ne connaissait pas la date.

— Depuis ma dernière balle.

— T'as tué ton ex !?! glapit Rosière.

Capestan eut un bref éclat de rire.

— Non, quand même pas ! Disons que ça faisait un petit moment que… Ce tir a été le prétexte.

Son mari avait estimé qu'aucune machine arrière n'était possible, qu'elle avait basculé. La sensation qu'il avait raison passa en flash sur la conscience de la commissaire, mais elle étouffa la flamme d'un clignement de paupières et touilla l'eau des spaghettis.

— En gros, il a demandé le divorce, et je lui ai accordé.

Capestan posa la cuillère en bois sur le brûleur inemployé.

— C'est bon pour la cuisson des pâtes.

Elle avait changé de sujet, mais son esprit vagabondait désormais du côté d'un dos et de valises qui franchissent la porte.

L'avenir, la force, la joie avaient disparu, comme aspirés par la bonde. La porte semblait résonner après avoir claqué. Capestan s'était assise sur le canapé, elle avait fixé le vide pendant quelques heures puis s'était décidée à passer à autre chose. Elle s'était penchée pour saisir la télécommande sur la table basse et avait sélectionné le menu VOD. *Mes meilleurs copains* était dispo pour 2,99 euros. Elle avait validé.

Le lendemain, on lui confisquait aussi son arme de service.

Elle avait eu du mal à s'en séparer.

Passé la blessure sentimentale, Capestan s'était étonnée d'apprécier son existence solitaire. Elle aimait vivre dans le confort d'un intérieur conçu pour elle seule, veillée par le silence affectueux d'un chat. Peut-être ce goût n'était-il que transitoire, mais rien n'était moins sûr.

La tête ailleurs, Capestan transporta la gamelle de spaghettis jusqu'à l'évier et la renversa avec précaution pour ne pas se brûler. Elle resta plantée devant le bac. Le nid de pâtes s'étalait dans l'évier.

— Non, c'est pas vrai… J'avais pas mis la passoire.

Anne alla chercher ladite passoire, puis rassembla les spaghettis avant de les rincer.

— Et toi, Eva, de la famille ?

— Oui. Un chien et un fils. Mais des deux, c'est encore le chien qui téléphone le plus souvent, confia Rosière avec un haussement d'épaules fataliste.

*

Ils engloutirent les pâtes au cours d'un dîner arrosé de côtes-du-Rhône, d'anecdotes de flics, d'aventures de télé et d'histoires de chiens. Puis Rosière et Lebreton partirent fumer leur cigarette pendant que Capestan allumait un feu de cheminée, sous la surveillance attentive de la truffe de Pilote qui ne craignait pas de se roussir les poils.

Les fumeurs la rejoignirent dix minutes plus tard, les verres et le reste de la bouteille de vin à la main. Capestan rapprocha les trois tableaux d'enquête. Lebreton prit place dans un fauteuil déglingué, ses collègues accaparèrent le vaste canapé.

Capestan leur résuma ses réflexions sur l'autocollant et la préméditation, puis acheva son monologue en édulcorant l'entrevue chez Buron. Un instant, elle avait hésité à leur parler du rôle étrange que le directeur semblait attribuer à l'équipe, mais les contours mêmes de ce rôle restaient trop flous. Elle craignait qu'il consistât uniquement à vider les rancunes et cette assignation peu glorieuse ne rendrait honneur ni à la brigade ni à Buron. Un soupçon de loyauté, mâtinée d'optimisme, poussait donc Capestan à attendre d'en savoir un peu plus. Le principal était que le directeur avait cédé le dossier Maëlle Guénan, dont elle étala les feuillets sur la table basse.

Dans l'ensemble, il confirmait les constatations préliminaires surprises grâce au babyphone et n'apportait rien de particulier, l'autopsie était en cours. La Criminelle privilégiait une agression due à un cambriolage.

— Ça n'a aucun sens, fit Lebreton, les jambes allongées devant lui, son verre ballon tournant doucement dans sa paume. D'une part, le matin, si le cambrioleur ne veut pas être dérangé, il sonne à la porte pour vérifier que l'appartement est vide. Ensuite, soit il passe par une fenêtre, ce qui n'est pas le cas ici, soit il y a effraction. Ce n'est pas le cas non plus, fit-il en désignant avec le pied de son verre une ligne du PV de constatation. Quant à l'arme du crime, je suis certain qu'elle a été apportée sur les lieux.

— Pourquoi ça, puisqu'on a retrouvé le même jeu de couteaux dans la cuisine ? demanda Capestan.

— Maëlle n'avait pas les moyens d'acheter une série de couteaux en acier poli. Et si elle les avait eus, elle aurait choisi un modèle moins design, plus rond, plus coloré. Ou du bois. Ces couteaux jurent avec l'appartement.

— C'est peut-être un cadeau ?

— Je ne pense pas. Pour moi, le meurtrier est venu avec l'intention de tuer et de déguiser ça en cambriolage ou, à défaut, en crime opportuniste : on peut croire que l'arme a été saisie sur place, dans la panique du moment.

— Même procédé que chez Marie Sauzelle. Ceinture et bretelles : le meurtrier masque son crime, mais si par malchance on remonte jusqu'à lui, il s'épargne au moins la préméditation et les circonstances aggravantes.

— Pour le marin, on ne retrouve pas ce mode opératoire, souligna Rosière en se calant le dos avec un coussin brodé.

— C'est le premier meurtre, il n'a pas préparé de stratégie. Ou bien les deux crimes sont liés mais on n'a pas affaire au même exécutant.

— Ton gamin qu'on retrouve sur deux scènes de crime, il nous ferait pas le coup de l'assassin qui revient sur les lieux, par hasard ?

— Il aurait été âgé de deux ou trois ans au moment du premier meurtre…, rappela Capestan, amusée.

— « Aux âmes bien nées, la valeur n'attend point le nombre des années », déclama Rosière qui accusait un léger coup dans le pif.

— Au fait, vous avez porté les poils de chat à l'analyse ? reprit Capestan à l'intention de Lebreton.

— Oui. On aura les résultats dans six ou sept mois…, fit-il, sourire en coin, en tournant doucement son verre.

— … Parfait, conclut Capestan avec un haussement de sourcils blasé.

Elle contemplait les tableaux, passant de l'un à l'autre. Elle rétablit sa position dans le canapé, comme pour mieux recaler son cerveau dans sa boîte crânienne :

— Bon, on résume : trois affaires liées, trois meurtres prémédités. Le premier, celui du marin, avec un moindre effort de mise en scène, il y a vingt ans. Le deuxième, la mamie, il y a huit ans. Le troisième, aujourd'hui. Pourquoi tant d'intervalle ? Un anniversaire ? Une pulsion ? Une échéance ?

— Le marin et la mamie ont été assassinés quasiment le même mois, en plus, releva Lebreton. Mais pas la veuve. On peut imaginer que les deux premiers soient vraiment liés. Maëlle, aujourd'hui, serait plutôt une résonance.

— Oui, Maëlle, comme l'Écureuil d'ailleurs, raccrochent les affaires au présent. Le meurtrier se trouve ici, aujourd'hui, et il a encore des raisons d'agir. Je suis sûre que le gamin peut nous mener à lui. On n'a toujours rien, j'imagine ? Les amis, les suspects, le fils de Maëlle, ça a donné quoi ?

— Pour l'instant, la description n'a rien évoqué à personne, pas même à Cédric Guénan, rapporta Lebreton. Mais Naulin, en revanche, s'est souvenu d'un détail supplémentaire : le garçon venait voir Marie Sauzelle « à propos du naufrage d'un bateau ».

— On y revient.

Une bûche craqua dans la cheminée et Pilote hissa une oreille vigilante. Le ronflement sourd du feu reprit son cours, Capestan observa les braises, phosphorescences cernées de gris. Ses joues rougissaient sous la chaleur de la flambée. Elle cherchait à rassembler ses pensées :

— C'est le bateau, le point commun des affaires…

— Et nous ! souleva Rosière en les fixant tour à tour de ses yeux verts, toujours perçants malgré l'ivresse.

— Nous ?

Rosière se redressa brusquement, d'un bond qui fit tressauter ses médailles.

— Le marin et la mamie. C'est bizarre quand même, on tombe sur deux affaires, dans deux cartons différents, et elles sont liées. Ça fait gros la coïncidence.

— Tu as raison, remarqua Lebreton. Mais est-ce que quelqu'un d'autre dans la brigade est tombé sur un meurtre ?

— Non, répondit Capestan. On a vidé toutes les boîtes et ce sont les seuls homicides.

— Fatalement, tant qu'à enquêter, c'est les dossiers qu'on allait retenir.

— Ils ont été placés là à notre intention, murmura Capestan.

— Ils ont surtout été saccagés par le même poulet, qui les a foutus dans ces cartons en croyant que c'était la poubelle, fit Rosière en martelant la table d'un poing rondouillard. Ça pue le ripou, cette histoire, ça pue le ripou, je vous le dis…

Un sale frisson parcourut l'échine de Capestan. Rosière avait raison. Le même flic. Corrompu. Ou criminel. En une seule seconde, les probabilités défilèrent dans l'esprit de Capestan, comme les lettres pivotantes sur un tableau d'aéroport. Les lettres se figèrent pour former un nom. Non. Non, ça ne pouvait pas être ça, ça ne pouvait pas être lui. Il n'avait pas pu la piéger ainsi, pas après tant d'années, il n'aurait pas osé. Elle croisa le regard intrigué de Lebreton ; du fond de son fauteuil, il la voyait blêmir. Capestan se leva pour récupérer les dossiers sur les différents bureaux en s'efforçant de recouvrer son calme. Elle revint s'asseoir et ouvrit les chemises sur la table basse. D'un œil rapide, elle tamisa les lignes des feuillets et, aussi facilement qu'on repère une bille rouge au milieu des graviers, elle isola le nom par trois fois : Buron.

Buron. Le mentor, le parrain, le chef. L'ami. Ainsi, tel était le but de cette brigade. Mais pourquoi lui confier les affaires ? Et surtout les confier à elle, Capestan ? Sur quoi portait le test ? Intelligence, dévouement ? Ou bien il se faisait une partie de roulette russe avec ses remords. Subitement, les questions se pressèrent de toutes parts, assommant la commissaire, portant ses réflexions au seuil de la suffocation. Buron. Il fallait doucher froid, se concentrer. Lebreton et Rosière attendaient. Eux aussi avaient lu le nom.

— Bon, reprit Capestan d'un ton bref. Buron est sur chaque dossier. Commissaire de section à la Criminelle en 93, c'est lui qui dirige l'enquête sur Guénan. En 2005, avant son passage à la tête de l'Antigang, il devient patron de la Crim. Ce sont ses services qui chapeautent l'affaire Sauzelle. Pour Maëlle hier, il ne se déplace pas, mais il envoie Valincourt, son adjoint.

— Buron est officier au 36 depuis trente ans. C'est normal qu'on le retrouve sur tous les dossiers, signala Lebreton.

« C'est vrai », pensa Capestan, soulagée de récupérer sa lucidité après le choc émotionnel.

— Non, ce n'est pas normal, affirma Rosière en achevant son verre d'une lampée décidée. Vu la réputation du flic, les enquêtes n'auraient pas dû tourner court. D'habitude, la marque de la Crim, c'est de fermer toutes les portes. Là, on a l'impression qu'ils n'en ont pas ouvert une seule.

Rosière s'extirpa du canapé et fit quelques pas pour se dérouiller les articulations. On la sentait attentive à son équilibre. Malgré l'alcool, les jambes étaient toujours plantées, elle avait à cœur de rester terrienne. Elle contourna la table basse et, de son ongle vermillon, elle partit crever les bulles d'air sur l'unique lé de papier peint que Merlot avait daigné poser. Les murs resplendissaient de neuf, créant un contraste saisissant avec le plafond jauni et craquelé. Personne n'avait voulu repeindre celui-ci avec l'escabeau, et torticolis garanti.

— Je suis d'accord, admit Capestan à contrecœur, il n'y a pas de rigueur dans ces dossiers, aucune obstination.

— De là à en conclure qu'il a commis les meurtres, on va vite en besogne, insista Lebreton.

Capestan fixa pensivement le commandant. Il n'avait pas tort, elle espérait même qu'il ait raison. Pourtant, depuis la fondation de cette brigade, le comportement de Buron l'intriguait, il manquait de fluidité. Sa sérénité coutumière s'était enrayée. La commissaire ne pouvait plus différer ses révélations :

— Il y a autre chose à propos de Buron. Je ne crois pas qu'il ait créé notre brigade par hasard.

— Comment ça ? demanda Lebreton, particulièrement attentif.

Capestan exposa brièvement la situation : la découverte par Merlot du contentieux Buron-Riverni, ses propres interrogations et la teneur de son entrevue avec le patron du 36. Deux secondes d'un silence choqué suivirent sa déclaration. Pilou se redressa, sur ses gardes.

— C'est maintenant que tu nous le dis ? ! ? s'étrangla Rosière.

— Oui, je n'ai pas jugé utile d'en parler avant, répondit la commissaire d'une voix ferme. On pouvait en déduire tout et son contraire sur les intentions de Buron. Je préférais voir venir.

Pendant que Lebreton, le visage tourné vers les flammes qui crépitaient, digérait la nouvelle, Rosière repartit charcuter son lé en maugréant.

— Pour le coup, c'est clair, ces affaires puent le flic, conclut-elle. Si ça se trouve, c'est Buron le tueur et il attend qu'on lui livre un bon bouc pour profiter d'une retraite peinarde.

— Il n'a aucun intérêt à ressortir les dossiers s'il est coupable, opposa Lebreton. Les affaires dormaient en attendant la prescription, c'était l'idéal.

— Dans ce cas, pourquoi il nous les refourgue, mais sans nous rencarder ? Il mouline son truc dans son coin, il ne lâche pas une info à Anne quand elle va le voir, il nous bazarde juste ses deux planches à savon et démerdez-vous avec. C'est une attitude d'innocent, ça ?

Rosière revint s'asseoir et sortit de sa manche un mouchoir en boule pour se tamponner le nez avec hargne. La commissaire réfléchissait. Encore une fois, concernant le directeur et son goût pour la manipulation, aucune hypothèse n'était à exclure.

L'odeur de la fumée couvrait maintenant celle des oignons, pour un confort d'une autre espèce. Sous la main de Capestan, le coton rêche de l'accoudoir du canapé sembla s'assouplir. Il fallait relancer l'enquête avec ça, advienne que pourra.

Capestan inspira profondément avant de se lancer :

— Effectivement, d'une façon ou d'une autre, Buron est lié à cette histoire. Il sait des choses qu'on ignore et qu'il ne souhaite pas partager. On ne peut pas l'interroger, mais on peut le filer H24 et voir où il nous mène.

Buron, légèrement à l'étroit dans son costume noir de chez Lanvin, tendit son billet à l'ouvreuse sans oublier de lui sourire. La jeune femme le guida jusqu'au troisième rang de l'orchestre et lui désigna le quatrième fauteuil. Comme à l'accoutumée, une grimace fugitive contracta ses traits lorsque Buron eut considéré l'exiguïté du passage. La peste soit des théâtres à l'italienne, pensa-t-il une fois de plus. Dans la salle Richelieu, le bourdonnement des spectateurs avant la pièce commençait à enfler, des nuages de parfums capiteux planaient entre les rangs. Le divisionnaire se délectait d'avance. *Dom Juan* au Français, impossible de se tromper. Les trois coups retentirent et il se cala dans son siège de velours rouge. Il appréciait sa soirée l'esprit serein, en sachant que, dehors, Capestan ferait ce qu'il faudrait.

38

Les tubes néon bourdonnaient dans le couloir blafard de l'hôpital. Une odeur caractéristique de Javel et d'humidité imprégnait l'atmosphère. La semelle des ballerines de Capestan couinait sur le linoléum bleu marbré de noir, tandis qu'elle suivait les numéros sur les portes de chambres. L'une d'entre elles, entrouverte, laissa apparaître une patiente en robe de chambre fripée, alitée devant son plateau-repas. Quand Capestan eut atteint la 413, elle frappa.

Vêtu d'un pyjama de molleton jaune rayé d'ours bruns, Torrez, soutenu par un oreiller à taie blanche, se tenait à moitié assis. Un bandage doublait la circonférence de son crâne et une attelle immobilisait épaule et coude droits. Un tuyau de perfusion reliait sa main gauche à une pochette en plastique remplie d'un liquide épais et transparent. Télécommande dans la main droite, il regardait la télé éteinte. Son visage s'éclaira à la vue de Capestan. Celle-ci avait apporté un poste radio et un CD de grandes chansons françaises. Elle posa le tout sur la table à côté du lit.

— Comment il va ce soir ? demanda-t-elle sur le ton de l'infirmière qui vient récupérer le bassinet.

— Il va bien. Il est content. Il voudrait faire pipi.

— Oh ! Tu veux que j'appelle quelqu'un ? demanda Capestan, en s'apercevant qu'elle aussi commençait à généraliser le tutoiement.

— Non, je plaisante.

Torrez souriait largement, ça faisait plisser ses bandages. Capestan n'était pas sûre d'avoir déjà vu cette expression sur cette tête-là. Il se redressa encore un peu, avec une grimace. Le moniteur à côté du lit émit quelques bips qui résonnèrent comme le casse-brique d'une vieille console Atari. Capestan ne savait trop comment l'exprimer, alors elle fit simple et emprunté, faute de mieux.

— Merci. Je pense que sans toi, j'y restais.

Torrez semblait vraiment heureux.

— Tu te rends compte ? releva-t-il. T'es pas morte. C'est moi.

Elle se sentit désolée, mais Torrez, lui, s'enthousiasma :

— Fini, le sort. Inversé, même. Non seulement je ne t'ai pas porté la poisse, mais je t'ai conservée en vie.

— J'étais sûre qu'il ne m'arriverait rien. Je ne crois pas à la poisse. En plus, j'ai de la chance.

Le visage tuméfié du lieutenant s'assombrit :

— Tu crois que ça ne marche qu'avec toi ?

— Non ! Non, pas du tout, se rétracta Capestan avec précipitation. Mais c'est juste de la superstition et tu viens de le prouver.

Capestan s'installa sur une chaise. Elle récapitula les événements et exposa le plan d'action : une partie de l'équipe planquait devant le vélo, d'autres activaient les recherches concernant l'Écureuil et aussi le bateau, et enfin les derniers se relayaient depuis deux jours pour filer Buron. Lequel, par ailleurs, avait laissé miroiter l'attribution d'un gyrophare au lieutenant Torrez.

— Une distinction, enfin ! se réjouit celui-ci.

Ils discutèrent encore un moment du commissariat des Innocents. La pose du papier peint achevée, on avait accroché des rideaux aux fenêtres pour l'aspect douillet et apporté de quoi cuisiner un peu. Évrard disait qu'il faudrait emballer les lauriers-roses pour l'hiver, Dax avait défoncé le parquet à cause d'un clou sous sa chaussure, et Merlot avait achevé la photocopieuse en s'asseyant dessus. Lewitz peaufinait la cuisine aménagée, elle débordait un peu sur la baie vitrée, mais sinon ça rendait bien. Ce matin, Orsini avait raconté une blague. L'équipe, stupéfaite, avait oublié de rire. Mais Orsini était beau joueur, il avait reconnu qu'il produisait souvent cet effet.

Torrez commentait chaque nouvelle, il avait un vieux service à dessert et promit de l'apporter. La conversation se réduisit peu à peu, pour aboutir à un silence paisible. À la façon des policiers en planque, chacun d'eux laissait ses pensées errer dans la pièce, sans que cela ne heurte le partenaire. Puis Torrez eut un faible raclement de gorge et Capestan sut qu'il allait poser la question de confiance.

— Et le type que t'as… Comment c'est arrivé ?

Capestan recula sur sa chaise. Elle n'avait pas très envie d'évoquer cette période.

— Elle n'est pas drôle comme histoire. Tu y tiens ?

Torrez baissa le nez, il ne voulait pas insister. Capestan sentit qu'il la considérait désormais comme une véritable collègue, et que, s'il le fallait, il pourrait rester dans le flou, assis à côté d'un doute. Mais Torrez venait d'encaisser un bus pour elle, il n'était plus temps de jouer la fuite. Elle soupira sous la chape de tristesse et croisa les bras, résignée à répondre aux interrogations du lieutenant.

*

— Il y a trois ans, je faisais partie de la BRB…

— L'Antigang ? fit Torrez, ébahi.

Une brigade mythique, l'aboutissement d'une carrière, et aujourd'hui ce placard : le lieutenant prenait la mesure de la chute.

— Oui, l'Antigang, reprit Capestan, nostalgique. J'étais bien là-bas. Et puis, un jour, on m'a appelée pour m'affecter au Quai de Gesvres. La brigade des mineurs, avec une grosse promotion. Je n'ai pas pu décliner.

— T'aurais dû ?

— Oui, dit-elle en décroisant les bras.

Les enfants, les disparitions, la détresse des familles, les abus. Les drames toujours plus poignants, et ça ne s'arrêtait jamais. Chaque soir, Capestan contemplait son impuissance, enterrée sous le champ de bataille. Au bout d'un an à peine, elle l'avait admis : elle n'était pas de taille. Elle n'avait jamais eu le calme instinctif, la distance automatique. Sur ses affectations précédentes, elle pouvait récupérer entre deux cas pénibles. Là, non, jamais. Son capital d'indifférence s'était épuisé en quelques mois. Elle avait vidé ses réserves de sang-froid, il ne restait plus que le chaud, prêt à entrer en ébullition au moindre prétexte. Elle avait réclamé sa mutation. Buron avait refusé. Il fallait tenir encore un an. Elle avait continué.

— Un frère et une sœur, âgés de douze et huit ans, avaient disparu, commença Capestan. On espérait la fugue, mais évidemment on redoutait le désaxé. Les recherches n'aboutissaient pas, on pataugeait. Les semaines passaient, et puis les mois.

Les mois. Cette pensée l'accablait de nouveau.

— Ils avaient été kidnappés. On a fini par trouver une piste, et loger le type dans un coin paumé près de Melun. Pendant que les collègues fouillaient la maison, je suis allée vérifier le cabanon, dans le parc. J'ai fait sauter le cadenas. Les deux enfants étaient là, maigres, noirs de crasse. Je suis d'abord restée hébétée, sur le seuil. Ils se tenaient serrés sur une paillasse posée à même la terre battue. À côté, un vieillard portait les mêmes traces de sous-alimentation. Mais lui était mort, depuis une journée au moins. À mon arrivée, les enfants n'ont pas fait un bruit, il régnait un silence de caveau. J'ai fini par m'approcher pour les rassurer, quand j'ai entendu du bruit derrière moi. L'homme était là, debout, dans l'encadrement de la porte. Il était à contre-jour, sa silhouette se dessinait parfaitement mais je ne pouvais pas distinguer ses traits, ni ce qu'il tenait dans les mains. Un bloc-notes d'un côté sûrement, mais de l'autre, cela pouvait être un stylo comme un couteau. En me voyant, il n'a pas cherché à fuir. Au contraire, il m'a demandé ce que je faisais là, chez lui. J'ai vu la main de la petite fille agripper la terre à côté de moi.

Je me suis levée et je me suis placée entre l'homme et les enfants pour qu'ils ne le voient pas. Et je l'ai abattu.

— Un détraqué sexuel ?

— Pas sexuel, non. Un mégalo. Il étudiait la Grande Famine de l'Ancien Régime. Cette ordure voulait toucher à la vérité. Il étudiait cliniquement les conséquences de la faim sur les populations les plus faibles : enfants, vieillards. Pas sur les rugbymen de trente ans, bien sûr. Selon lui, la science valait quelques sacrifices, les médecins utilisent bien des singes.

Capestan ne put s'empêcher de penser qu'en son état actuel, ces médecins aussi, elle serait limite de les buter. Torrez lissait son drap du plat de la main. Le père soutenait le tir, mais le flic aurait préféré une arrestation. Il gratta la télécommande d'un pouce distrait. Finalement, il demanda :

— Tu regrettes ?

La fameuse question. Trois existences gâchées contre la seule vie de ce salopard, Capestan aimait trop les maths pour regretter son geste. Mais elle savait que ça lui donnait l'air d'une sociopathe.

— Je n'ai pas encore décidé, répondit-elle hypocritement.

Torrez sembla l'interpréter comme un oui et relança :

— C'était un couteau ?

— Quoi ?

— Il tenait un couteau ?

— Un stylo.

— Et tes collègues t'ont couverte ?

— Mieux : le patron. C'est Buron qui est arrivé le premier dans le cabanon. Son témoignage a été catégorique : légitime défense. Si Buron le disait…

Sans lui, elle finissait non seulement révoquée, mais certainement en taule. Il lui avait sauvé la mise.

Et l'addition venait juste de tomber.

Était-ce donc ça ? Lui présentait-il vraiment la facture ? La brigade avait-elle été montée avec Capestan, la débitrice, aux commandes pour chasser le bouc émissaire ? Elle pouvait même envisager la menace sous-jacente : Buron s'attendait à ce qu'elle le protège à son tour, sous peine de rupture du pacte. Était-elle censée trafiquer les enquêtes, masquer les preuves et finalement trahir les victimes ? L'option, bien sûr, ne l'effleura pas un instant.

Mais ce ne serait pas simple de trahir Buron.

La conscience de Capestan vrillait sous les manipulations du directeur. Se pouvait-il que son mentor abrite un tel cynisme ? Capestan refusait de le croire. Elle le refusait même avec un tel empressement, qu'elle voyait poindre le déni. Analyser froidement. Elle devait recouvrer sa capacité à étudier chaque élément en toute objectivité.

Torrez, lui, était tout entier préoccupé par le passif de la commissaire :

— Si Buron t'a blanchie, je ne comprends pas qu'on t'ait envoyée dans cette brigade. La faute est lourde, mais isolée.

Isolée. Rien n'était moins vrai. Les mois qui avaient précédé, Capestan avait déjà tiré quelques balles par lassitude dans des genoux de brutes épaisses. Elle avait prétexté de fumeux délits de fuite, dont ni Buron à la Direction, ni Lebreton à l'IGS n'avaient jamais été dupes. En réalité, son tir dans le cabanon avait clos une sale spirale et Capestan méritait vingt fois sa mise à l'index.

*

Des talons claquèrent dans le couloir et on toqua à la chambre de Torrez. Malgré son invitation à entrer, il y eut quelques secondes de latence, mais finalement Rosière entrebâilla la porte et passa une tête, avant d'ouvrir en grand. Lebreton franchit le seuil à sa suite. Entre prudence et esprit d'équipe, ils saluèrent Torrez d'un signe de la main prolongé. Après quoi, Lebreton tira doucement sur le poignet de sa chemise et alla s'adosser au mur opposé au lit. Rosière se tint à ses côtés, les doigts portés sur les médailles qu'elle triturait.

— Ça avance, la liste des passagers ? demanda Capestan, toujours au chevet du lieutenant enturbanné.

— Oui, la compagnie est basée à Miami. Ils l'envoient à Évrard, on l'aura d'ici deux ou trois jours.

— Parfait. Et la filature ?

— Là, on a un problème, admit Lebreton en changeant de jambe d'appui.

— C'est-à-dire ?

— Buron est un bon flic. Il est difficile à suivre sans se faire repérer, d'autant qu'il connaît la plupart d'entre nous. De loin, dans la rue, on arrive encore à se débrouiller…

— Ça, c'est pas une gazelle, le pépère, il ne risque pas de nous semer, coupa Rosière en ricanant.

Les bruits du couloir leur parvenaient dans la chambre. Un chariot qui roule, des plateaux qu'on débarrasse et les voix sonores des infirmières assurant leur tournée du soir.

— En revanche, poursuivit Lebreton, on ne peut pas planquer devant le 36. Entre les caméras et les fenêtres qui donnent sur le quai, aucune discrétion possible. Les voitures ne peuvent pas stationner, les touristes ne font que passer. Je me demandais s'il ne fallait pas carrément oublier la surveillance directe et poster une équipe aux embranchements alentour, mais on ne sera jamais assez nombreux…

— Ou on se contente du domicile et on laisse tomber les heures au 36, mais c'est plus une filoche, fit Rosière qui brillait de mille feux dans son imper en vinyle blanc.

Non, si on surveillait Buron, ce n'était certainement pas pour faire l'impasse sur ses activités professionnelles. Mais le 36 était dur à accrocher, il fallait trouver un système.

— La rive d'en face, avec des jumelles ? proposa Capestan.

Lebreton secoua lentement la tête en signe de dénégation.

— Repérable depuis les bureaux en étage et, pour le coup, très suspect. On a pensé louer un appartement…

— … mais en bord de Seine, des studios de smicard, t'en trouves pas des masses, enchaîna Rosière. Et vu que les nantis, c'est pas le genre à te prêter une fenêtre contre un petit biffeton…

— On pourrait tenter la réquisition…, fit Capestan en souriant.

— … mais ils seraient foutus de se plaindre, compléta Rosière, goguenarde.

Son imper en vinyle lui tenait chaud dans cette pièce dont Torrez avait poussé les radiateurs. Elle en agita les pans pour se ventiler, puis finit par l'ôter, le pliant sous son bras. Capestan reprit :

— Il y a des travaux en ce moment, non ?

— Affirmatif, répondit le commandant Lebreton. Des échafaudages sur un bout du dernier étage et du toit. Mais on ne peut pas s'incruster, même en tenue de chantier. Il s'agit de surveiller la PJ, pas des voyous, l'entreprise de bâtiment n'acceptera jamais. Et au niveau de la rue, j'ai vérifié, on n'a pas l'espace pour monter un Algeco. Non, sur place, pas moyen de planquer un sous-marin, je t'assure, on a cherché, c'est impossible.

— On sèche, confirma Rosière.

Torrez tournait la télécommande entre ses doigts, jouant de l'ongle sur les touches en caoutchouc. De mémoire, la commissaire parcourut les abords du 36, visualisant les larges fenêtres grillagées, le porche d'entrée, le parapet au-dessus des berges de Seine, les marronniers, les quelques places du parking derrière la barrière automatique. Nulle part où se cacher. Il fallait trouver une alternative. Une idée commença à germer.

— Si on ne peut pas faire discret, alors on va faire voyant, annonça Capestan.

Île de Key West, sud de la Floride,
États-Unis, le 2 mai 1993

L'air, chargé d'humidité, sentait le sel et les fleurs. Deux perruches émeraude voletaient dans le banian dont les racines crevaient la chaussée. Ces couleurs, cette chaleur, ce silence. Alexandre ne voulait pas retourner en France.

Il allait devoir, pourtant, il fallait soigner Attila.

Attila. Un surnom comme une évidence. Le petit garçon explorait pour l'heure le fond du jardin sous la surveillance attentive d'Alexandre. L'enfant brandissait une pelle d'ordinaire réservée aux châteaux de sable et frappait les troncs à sa portée. Il ne construisait jamais rien avec cette pelle. Alexandre soupira et sortit son mouchoir pour essuyer ses tempes trempées de sueur.

Le jeune homme qui tenait la cabane de location de vélos passa dans la rue et le salua de la main. Perché sur son épaule, son fidèle perroquet de flibustier tanguait avec dignité. Ils rejoignaient le Sloppy Joe Bar, dans Duval Street. Alexandre aussi aurait apprécié un vieux fond de bourbon. La France. Fini la plongée, fini la vie en lin et coton. Retour au métier, à la laine et à l'uniforme, la parenthèse amoureuse avait assez duré.

Un coq émergea du sentier. Peu de voitures circulaient dans les larges rues bordées d'arbres, et elles roulaient toujours au pas. Aussi le coq traversa-t-il, confiant, et se dirigea vers le portail ouvert de la maison d'Alexandre. Celui-ci siffla pour l'effrayer et l'engager à partir, mais le volatile, stupide, s'entêta. Les coqs ici avaient pour habitude d'évoluer librement, les habitants les avaient implantés pour qu'ils chassent et avalent les scorpions. Les coqs respectaient leur part du contrat, en échange, ils avaient droit à la paix. La crête dressée, bombant le poitrail, le coq pénétra dans le jardin. Attila l'aperçut aussitôt et se précipita sur lui, la pelle haute, en hurlant. D'un geste brusque de la main, Alexandre stoppa l'enfant en pleine course et le prit sous le bras. Rouge de colère, Attila agita les jambes, mais, sous la pression imperturbable d'Alexandre, il finit par céder, le souffle court. « Il a du sang de guérillero », disait sa mère, avec, dans l'œil, une lueur de fierté toute cubaine. « Un guérillero, ça se garde pour la révolution, Rosa. »

Un pick-up blanc, strié de traces de boue, se gara le long du trottoir. Rosa serra le frein à main et descendit du véhicule qu'elle contourna pour ouvrir la porte passager. Elle déboucla le harnais du siège auto et prit le tout jeune Gabriel dans ses bras avec précaution. Les larmes avaient depuis longtemps séché sur le visage de l'enfant et il tenait dans sa petite main un de ces bonbons colorés offerts par le pédiatre. Avec la bandelette autour de son auriculaire, la prise n'était pas aisée. Alexandre, la poitrine serrée, interrogea Rosa du regard. Celle-ci attendit d'arriver à sa hauteur pour désigner le pansement sur l'oreille de Gabriel.

— Ils n'ont pas pu recoudre, le lobe a été arraché.

39

— Tu crois que si le 36 avait été au 38, on l'aurait quand même appelé le 36 ? demanda Dax.

Évrard fit gentiment mine de réfléchir avant de répondre :

— Non.

Assise sur le parapet de pierre du quai des Orfèvres, face à l'entrée du siège de la Police judiciaire parisienne, elle surveillait les fenêtres du troisième étage, celui de la direction.

— Pourtant, 38 ça sonnerait moins bien. Remarque, y a pire : 132 bis. T'imagines ? « J'appartiens au 132 bis. » Les mecs, ils trouvent un autre nom, moi j'te le dis.

Évrard sourit et laissa son regard couler vers la Seine. Abrité par la vaste verrière de son poste de pilotage, un batelier menait sa péniche d'une main assurée. De l'autre, il tenait une tasse et savourait un café en cette heure matinale, sous le soleil d'automne qui découpait les arbres, les ponts, les immeubles, d'un trait vif et précis. Évrard envia la liberté du voyageur. Elle balançait alternativement ses jambes pour se donner du rythme et rester éveillée malgré la monotonie de la surveillance. La pierre granuleuse l'irritait à travers le tissu de son jean.

Aujourd'hui, elle était de filature Buron, en tandem avec Dax, et espérait que, comme promis, le ridicule ne tue pas. Par-dessus son coupe-vent, elle arborait un T-shirt sur lequel Orsini, fort de ses talents de lettriste, avait tracé le slogan : « COMMISSARIAT EN GRÈVE ». Une idée de Capestan. Puisqu'ils ne pouvaient planquer incognito, alors ils s'exposaient au grand jour, dans la position idéalement statique du gréviste au long cours. Pas de matériel, peu de droits : leur brigade de flics placardisés avait de quoi revendiquer, autant que ça serve, avait-elle dit. Évrard, peu convaincue par ce stratagème, avait objecté que Buron en les découvrant ne risquait plus de bouger. Capestan avait insisté : « Il ne pensera pas à une filature, il croira vraiment à une grève, il nous prend pour des buses. Et sinon, peu importe, on ne sait pas trop ce qu'on cherche, mais ça a un lien avec le 36, autant surveiller ce qui se passe dans le coin. On verra aussi qui réagit à notre présence. »

Dax, également installé sur le parapet, avait lui-même enluminé son T-shirt de grosses capitales baveuses : « BRIGADE EN RADE ». Avec Lewitz, ils avaient aussi pensé à « Un flingue pour un flic », « Une plaque, pas une claque », « Du pognon, pas des gnons », et même « Allez Stade Français » qui les avait fait bramer de rire un long moment. De guerre lasse, Capestan avait choisi l'inscription la plus sobre, une lueur d'appréhension dans le regard. Elle avait d'ailleurs jugé plus prudent de séparer les deux copains pour cette mission.

Lorsque Évrard et Dax étaient arrivés à huit heures, suivant Buron d'une petite minute, le gardien de la paix en faction à l'entrée, un jeune costaud au teint pâle et aux bras courts, les avait considérés avec curiosité. Le sourire narquois, il avait téléphoné à quelque supérieur pour savoir ce qu'il fallait faire de ces « collègues grévistes » qui manifestaient à deux et en silence. « Les dégager », avait-on dû lui répondre, puisqu'il était venu les voir en leur demandant gentiment de bien vouloir circuler. Évrard avait opposé un refus catégorique. Le planton était reparti en quête de nouvelles instructions. À son retour, il était escorté de deux autres gardiens à la mine tout aussi amusée.

Ils avaient saisi le coude de Dax pour amorcer l'évacuation. Le lieutenant avait beuglé comme si on l'écharpait : « Violences policières ! Violences policières ! » Les passants se retournaient, les touristes photographiaient, et finalement le talkie du planton avait crachoté. Du haut de ses fenêtres, un chef ordonnait de laisser pisser avant d'ameuter la population.

Désormais, Évrard et Dax surveillaient les allées et venues sans encombre, un œil rivé à la vitre du directeur Buron.

Évrard, investie de sa mission et de son camouflage, s'efforçait de conserver un air digne de flic injustement déchu, même si Dax et son expression de perpétuel enthousiasme ne lui facilitaient pas la tâche. Les branches du marronnier planté sur la berge lui chatouillaient le haut du crâne à la moindre brise et n'aidaient pas non plus à la concentration. Mais, l'un dans l'autre, le lieutenant et son regard faussement indifférent de bluffeuse ne perdaient aucun détail alentour. Pour communiquer avec Capestan, postée hors de vue, sur un banc de la place Dauphine, Évrard utilisait le kit mains-libres de son téléphone portable. Elle avait doublé les écouteurs, façon casque MP3. Le forfait illimité de la commissaire assurait une liaison permanente.

Dax coinça le piquet de la pancarte « GRÈVE DE LA FAIM » entre ses genoux pour se libérer les mains, puis il extirpa de son sac à dos jaune et gris un sandwich plus épais que le Bottin. Quand il ôta le papier d'aluminium, un fumet prononcé de charcuterie s'évapora dans l'air frais de l'automne.

— T'en veux un bout ? proposa le jeune lieutenant à sa coéquipière du jour. Il est au jambon, au poulet, au bacon et au pastrami. C'est ma mère qui l'a fait. Pour les casse-croûte, elle s'y connaît. Y a juste un peu de moutarde, et pas du tout de salade. Comme ça le pain, il est pas mouillé. Et elle met du Sopalin autour pour pas que l'alu donne du goût. T'en veux ?

Évrard refusa d'un sourire et Dax enfourna son monument avec une satisfaction visible. Le gardien de la paix, un peu vexé, vint jusqu'à lui :

— Je croyais que tu faisais la grève de la faim ?

La bouche pleine, Dax hocha vigoureusement la tête, il tentait de répondre quand une nuée de miettes s'échappa de son puissant clapet. Il le rabattit aussitôt, il ne voulait pas gâcher un bon pain comme ça. Évrard récupéra la pancarte et le sortit d'embarras :

— C'est moi qui prends le relais pendant deux heures. Lui, il est en pause.

— Vous vous relayez ? Vous faites une pause déjeuner pendant une grève de la faim ? s'assura le policier d'un ton mauvais.

— Voilà, confirma Évrard, tandis que Dax acquiesçait, lèvres serrées.

— Vous nous prenez pour des cons ?

C'était manifeste. Il leur fallait dévier l'accusation pour rester crédibles et conserver leur poste d'observation. Évrard puisa dans ses réserves d'amertume et argumenta façon passif agressif :

— Non. *Vous* nous prenez pour des cons. Alors, on se conforme. On est disciplinés. C'est le secret du bon flic, non ? C'est comme ça que les patrons nous réintégreront dans une brigade normale de flics normaux.

Elle ne comptait pas s'acharner sur ce planton, mais elle tenait son discours, pour tenir son rôle. En conversant, Évrard avait enlevé un écouteur, ça faisait plus vrai. Dans l'autre, elle percevait l'attention lointaine de Capestan qui suivait l'échange avec amusement.

Un reflet sur les carreaux du bureau du directeur attira l'attention d'Évrard. Buron allait et venait devant sa fenêtre, il finit par stationner quelques secondes, puis salua le lieutenant d'un long geste de la main. Elle attendit le départ du gardien de la paix pour avertir Capestan :

— Y a Buron qui dit bonjour.

La voix de la commissaire lui parvint dans l'oreillette gauche :

— T'as l'impression qu'il te salue, qu'il est étonné ou qu'il se fout de toi ?

Après un bref temps de réflexion, Évrard se rendit à l'évidence :

— Je dirais plutôt qu'il se fout de moi.

Cent mètres plus loin, sur son banc, Capestan se demanda une fois encore où Buron voulait en venir et s'il les avait repérés en tant que filocheurs. Installée sur le terrain de pétanque qui dominait la place Dauphine, ce charmant havre de province planté face à la rigueur du Palais de justice, la commissaire profitait d'une vue panoramique et organisait les relais. Tout en gardant une oreille avec Évrard et Dax, elle savourait de l'autre les bruits de la partie de pétanque en cours. Le choc sec et mat des boules en acier, le roulement feutré sur le sable semé de gravillons, les invectives, les moqueries et les conseils martelés avec une conviction pressante. On s'amusait, mais on voulait gagner. À tout prix, une partie après l'autre.

Capestan balayait sans cesse les environs du regard. Un jeune homme couvert de dreadlocks, comme coiffé d'un poulpe en pleine sieste, traversa la place. Un autre jeune homme passa plus loin. Lui avait un casque vert et un bermuda.

Capestan se redressa. C'était l'Écureuil. Il était perché sur un vélo, celui devant lequel Merlot était censé planquer. Peu importait. On le retrouvait, il s'agissait de ne plus le lâcher. Il se dirigeait vers l'entrée de la PJ. Capestan saisit le micro de son kit mains-libres et prévint Évrard :

— Le gamin qu'on a coursé avec Torrez, il va arriver sur votre gauche. Casque vert. Il faut le filer lui aussi. C'est notre cible prioritaire.

Le vélo sortait à peine de son champ de vision, quand le deuxième téléphone de Capestan vibra. Elle décrocha. C'était Rosière :

— Allô Anne ? Tu ne devineras jamais !

— Buron est sur la liste des passagers ?

— Non, enfin, on ne sait pas, on ne l'a pas encore. Mais on a mieux : le 2 juin 2005, le tribunal de Miami a condamné la compagnie maritime à verser des indemnités aux rescapés du naufrage. Pour fêter ça, le Collectif des Naufragés français a organisé une soirée à Boulogne et on a une vidéo. On a croisé avec les recherches de Torrez sur l'emploi du temps de Marie Sauzelle et la date de cette fête pourrait correspondre au soir de son meurtre.

— On doit visionner ça. On n'a pas de magnétoscope aux Innocents, où est-ce que…

— Mais si, on a, se gargarisa Rosière. Magnétoscope, lecteur DVD, Blu-ray, box, écran plat, j'ai même appelé pour CanalSat. On t'attend ?

— Oui. Je contacte Orsini pour lui confier mon poste et j'arrive.

Capestan raccrocha et fit défiler son répertoire, à la recherche du numéro d'Orsini. Elle souriait, blasée. CanalSat, vraiment ?

Dax profita de sa pause filature pour passer chez lui et prendre une douche. Une fois rhabillé de frais, il plongea les doigts jusqu'à la deuxième phalange dans le pot de gel fixation forte. Il répartit ensuite la substance en frottant ses paumes, puis l'appliqua harmonieusement sur sa chevelure mouillée. Il peigna ses courtes mèches sur le côté et acheva son œuvre en travaillant la houppette du pouce et de l'index. Satisfait du résultat, il sourit à son reflet dans le miroir de l'armoire à pharmacie et se lava longuement les mains. « Pour séduire une fille propre, il faut des mains propres », répétait toujours sa mère. Dax avait des mains impeccables, le jour où la fille propre passerait, il n'aurait pas besoin de chercher un lavabo. Il les essuya soigneusement dans sa serviette-éponge d'un blanc immaculé, puis apporta la touche finale à sa toilette en s'aspergeant d'eau de Cologne. Dax aimait sentir bon, il ne comprenait pas les gars comme celui qu'ils filaient. Le vélo, ça fait transpirer. Ce jeune, n'empêche, il devait avoir de sacrées relations. Il était entré au 36, tranquille, sans montrer ses papiers. À la Maison, il était.

40

La réponse serait dans la vidéo. Capestan appuya sur « Lecture ». Sur l'écran, la neige fit place à quelques zébrures, la couleur apparut, puis l'image se stabilisa enfin. Dans le canapé, Rosière et Lebreton se turent. On entendit la bande tourner dans le magnétoscope.

La cérémonie de commémoration se déroulait en plein air. Sur un vaste terre-plein, on avait aménagé un podium de planches surmonté d'un écran géant. Sur les côtés partaient de longues tables de banquet. À droite, elles étaient munies de bancs. Celles de gauche faisaient office de buffet avec leurs plateaux en carton aux petits fours soigneusement alignés. À l'une des extrémités, des tours de gobelets en plastique cernaient des carafes de vin, des bouteilles de soda et des briques de jus de fruits. Ce n'était pas le chic du pique-nique de l'Élysée, mais le ciel était encore bleu malgré l'heure tardive et les convives se saluaient chaleureusement.

L'homme en costume sur le podium tapotait le micro. Il articula quelques mots en fixant le technicien d'un œil perplexe. Un puissant larsen fendit l'atmosphère. L'assistance, formée de petits groupes éparpillés, se tourna vers la scène comme un seul homme.

La caméra en plan fixe se situait sur la largeur opposée au podium. Elle englobait le terre-plein, puis, dans l'axe, la scène et l'écran géant. L'homme en costume rougit. Bien penché sur le micro, il commença à parler et ce n'est qu'au troisième ou quatrième mot que les enceintes se déclenchèrent : « … Mes chers amis, que cette année ne soit pas celle de l'oubli… »

— Là ! Dans l'angle en bas à gauche, s'exclama Rosière, la mamie à frisettes !

C'était bien Marie Sauzelle. Mais toujours pas de Buron et cela soulageait Capestan. Elle ne tenait pas à apercevoir la haute silhouette un peu molle du directeur. Elle scrutait la foule, fébrilement, en espérant surtout ne rien trouver. Et soudain, une autre silhouette, plus sèche celle-ci, attira son regard. Elle la pointa du doigt sur l'écran, à l'intention de Rosière et Lebreton. Ils attendirent que l'homme se retourne pour confirmer. Pas de doute.

— Valincourt, fit Lebreton.

— Qu'est-ce qu'il fait là ? ajouta Rosière. Regarde…

Marie Sauzelle s'approchait de Valincourt, elle le salua et demeura à ses côtés. Ils échangèrent quelques mots tout en gardant les yeux sur l'homme du podium. « … Après des mois de recherche, le comité que je représente a pu réaliser un film hommage aux victimes du naufrage de… »

Valincourt se redressa. Il n'écoutait plus sa voisine.

« … et pendant que défilent les photos, je vous serais reconnaissant d'observer le plus grand silence… »

Les premières notes du générique des « Étoiles du cinéma » retentirent et sur l'écran, des photos de visages défilèrent en fondus-enchaînés, pendant que l'homme en costume égrenait les noms.

— C'est d'un ringard, marmonna Rosière.

Lebreton secoua à peine la tête et l'attention de Capestan revint sur l'angle gauche de la télé. La silhouette de Valincourt était tendue comme un arc. Sauzelle sortit un mouchoir et commença à se tamponner les yeux, mais, le geste soudain suspendu, elle fixa le grand écran, puis Valincourt, et de nouveau l'écran et Valincourt. Le film hommage dura quelques secondes encore et un dernier fondu au noir acheva la projection.

Marie se tourna entièrement vers le divisionnaire et se mit à lui parler avec animation. Il fit un mouvement de dénégation et posa une main apaisante, quoique autoritaire, sur l'épaule de la vieille dame. Celle-ci opina, mais on ne la sentait pas convaincue. Elle se laissa néanmoins conduire au buffet. Ils sortirent en partie du champ. La vidéo s'acheva peu après.

— Je me demande ce que Sauzelle lui a raconté pour que ça l'agace ainsi, fit Capestan en pressant le bouton de veille de la télé.

Elle éjecta la cassette du magnétoscope et la rangea dans son boîtier en plastique. À l'aide d'une seule vidéo, on obtenait plusieurs certitudes. La commissaire les énuméra : Valincourt faisait partie du collectif, tout comme Marie Sauzelle, ils avaient donc voyagé sur le *Key Line Express*, bateau sur lequel officiait Yann Guénan. Tous trois s'étaient forcément croisés. Et surtout, peu de temps avant sa mort, Sauzelle avait rencontré le divisionnaire.

— Je crois qu'on peut laisser tomber Buron, souleva Rosière, on tient un autre flic…

Capestan, la conscience gonflée d'espoir, acquiesça avec un empressement mal dissimulé. Elle partit telle une flèche en direction des chemises empilées sur son bureau. Elle revint vers le canapé et dispersa les PV du dossier Guénan sur la table basse. Les trois têtes se penchèrent de concert pour parcourir les signatures. Aucune mention de Valincourt.

— Mais pour Marie Sauzelle, il y était, et pour Maëlle Guénan, pas de confusion, on l'a vu sur place, conclut Capestan.

— On a notre coupable ! plastronna Rosière.

— Non, non, doucement, tempéra Lebreton. Il était sur une enquête et il connaissait au moins une des victimes. De là à en conclure qu'il a commis les meurtres…

— Attends, Louis-Baptiste, fit Capestan. Il connaissait la victime, mais surtout il ne l'a pas signalé. Ni dans le dossier de l'époque, ni lors de ma visite. Il m'a même affirmé ne l'avoir croisée que morte. Il est distrait, quand même.

Lebreton se recala au fond de son fauteuil et croisa les jambes. Le commandant n'était pas homme à se laisser gagner par la précipitation.

— Possible. Il faudrait éclaircir la raison de ce silence. Aussi bien…

— Oh mais, il nous emmerde, l'IGS repenti ! s'exclama Rosière. On te dit qu'il est pourri jusqu'au trognon !

— D'accord, d'accord, t'énerve pas, Eva. Qu'est-ce qu'on fait alors ? demanda Lebreton, amusé malgré lui.

— On transfère la filature sur Valincourt, même profil, mêmes méthodes, confirma Capestan.

— Avec ce qu'on a, on peut lui rendre une visite de courtoisie, non ? s'emballa Rosière.

— Non, trop tôt, freina la commissaire. On n'a pas assez d'éléments à charge pour l'auditionner.

— Tu rigoles ?

— Non, aucune preuve formelle, pas d'ADN, pas d'empreintes, uniquement des concordances.

— On en a dérangé pour moins que ça…

— Oui, mais on vise Valincourt, monsieur trois-rosettes-à-la-boutonnière. On ne peut pas se lancer frontalement, sinon on va se ramasser comme pour Riverni. Il nous faut le mobile et un minimum de préparation. On doit tout savoir du divisionnaire avant d'attaquer.

C'était bien de connaître le meurtrier, encore fallait-il le coincer.

41

Une agitation enthousiaste régnait au commissariat des Innocents, ça enquêtait sec.

Merlot, les pieds sur son bureau, avait calé sa bedaine entre les accoudoirs d'une chaise à roulettes qui n'en menait pas large. Le combiné dans une main, un verre de whisky dans l'autre, il jouait les Marlowe qui s'embourgeoise et palabrait avec tout ce que la Judiciaire avait compté de DRH.

— Oui, mon ami, le même Valincourt que celui qui dirige les Brigades centrales ! Je ne te dérangerais pas pour du menu fretin. Oh, eh bien ma foi, le petit portrait habituel : les parents, le mariage, les enfants, les diplômes, ses anciennes affectations, son petit déjeuner du matin et la marque de ses sous-vêtements. Rien d'indiscret, n'est-ce pas, s'esclaffa-t-il avec la connivence du franc-maçon retrouvant un vieux copain de loge. Voilà, je règle en cognac Napoléon ou « brandy sur l'ongle », comme on dit.

Lebreton punaisa au mur une affichette sur laquelle étaient reportées les rotations dans la filature. À cette heure, Évrard restait sur l'Écureuil et Orsini se chargeait du divisionnaire Valincourt. Le commandant démêla ensuite les écouteurs de son kit mains-libres pour entamer la grande tournée spéciale des rappels : « Connaissiez-vous cet homme en dehors de sa fonction d'enquêteur ? » Tout en conversant, le regard porté vers un lointain interlocuteur, il gagna tranquillement la terrasse et resta debout face aux toits de Paris.

Lewitz, lui, était descendu au parking en compagnie de Rosière. Celle-ci avait commandé un véhicule plus adapté aux planques que la Laguna jaune poussin du brigadier. La capitaine était ensuite remontée sans Lewitz qui tenait à apprivoiser son nouveau jouet. Dax, de retour au commissariat et douché de frais, s'était posté le nez à vingt centimètres de son écran, les doigts sur le clavier, et fixait Capestan avec l'intensité d'une sténo guettant la dictée.

La commissaire savait qu'elle avait intérêt à choisir ses mots avec soin.

— Merlot se charge de son état civil et de sa bio. Donc toi, je voudrais que tu me déniches ses relevés téléphoniques : box et mobile. On cherche un appel à ces numéros, fit-elle en lui tendant un Post-it avec les coordonnées de Maëlle Guénan. Je voudrais aussi les mouvements sur sa carte de crédit, plus particulièrement pour un achat de couteaux.

— Une arme du crime, ça se paye plutôt en liquide, nota Rosière en s'approchant, le journal de bord à la main.

— C'est juste, mais on ne sait jamais.

— Je te fais la web identity avec ? proposa Dax.

Le visage de Rosière s'arrondit sous l'effet de l'amusement :

— Avec sa tronche d'Apache, tu crois qu'il a un Facebook, le monsieur ? Et un compte Twitter pour ses humeurs du jour aussi ?

Capestan ignora Rosière et son ironie d'usage.

— Oui, l'empreinte Internet, ça m'intéresse. Va là où ça te paraît important, Dax, mais on n'a pas beaucoup de temps.

Le lieutenant porta deux doigts à son front pour saluer la commissaire et décocha un sourire pleines dents à sa machine.

Deux heures plus tard, les tempes en sueur, il sonnait le rassemblement.

— J'ai tout !

Capestan, Lebreton, Rosière et Évrard encadrèrent son bureau. Une pile d'impressions aux bords soigneusement alignés était posée devant le hacker. Il saisit la première feuille et la tendit à Capestan, avant d'enchaîner sur les suivantes :

— Relevé de carte Fnac, carte Ikea, carte Bizzbee, carte Sephora…

La commissaire, un rien décontenancée, réceptionnait les documents et survolait leurs lignes d'une inutilité flagrante. Rosière, plus désolée que moqueuse, s'adressa au lieutenant :

— Mais enfin, Dax, tu le vois avec une carte Sephora, le divisionnaire ?

— Ben quoi, je l'ai bien moi, la carte Sephora.

— C'est la carte de crédit que Capestan demandait, pas les cartes de fidélité.

— Ah. J'ai pas entendu « crédit ». Mais ça donne plein d'infos sur Valincourt, quand même.

— Sauf que là, de toute évidence, on n'est pas sur le bon Valincourt : ton divisionnaire s'appelle Charlotte.

Dax, boudeur, continuait de tendre ses feuillets à Capestan qui continuait à les parcourir des yeux. Elle posa la main sur le bras de Rosière pour l'interrompre.

— Attends, attends. Sur le relevé téléphonique, là, on retrouve bien le numéro de Maëlle… Valincourt, prénom Gabriel, comme ces cartes Decathlon, Rougier&Plé… Ce n'est pas le père, mais c'est le fils ! Dax, t'as cherché un compte Facebook pour Valincourt ?

Le lieutenant activa sa souris et cliqua. La page apparut en plein écran.

— Gagné, fit Capestan en serrant le poing. Regardez la photo de profil.

— Ah ben oui, t'as raison, fit Dax, je l'avais pas reconnu sans son casque, mais c'est le gamin du 36 !

On l'identifiait enfin. L'Écureuil se nommait Gabriel Valincourt, fils du commissaire divisionnaire Alexandre Valincourt, directeur des brigades centrales de la Police judiciaire, suspect dans trois affaires de meurtre. Et ce fils avait appelé Maëlle Guénan la veille de sa mort.

— Super boulot, Dax, félicita Capestan, toute joie dehors.

Pendant quelques minutes, ils restèrent plantés ainsi à côté de l'ordinateur, étonnés et contents, Pilou battant sobrement de la queue. Dax et ses méthodes pour le moins singulières venaient d'occasionner une découverte majeure.

La journée tirait maintenant à sa fin. Orsini était de filoche sur le divisionnaire et Lewitz était rentré chez lui, mais le reste de l'équipe traînait encore dans le commissariat, savourant un repos bien mérité. Merlot, avant de prendre le relais sur la filature du fils, avait eu le retour du DRH : Valincourt, veuf et père d'un garçon, avait suivi une formation de deux ans à Miami en début de carrière et s'était ensuite mis en disponibilité pour rester en Floride avec sa famille. Le ferry naufragé devait s'être trouvé sur son chemin de retour en France.

Torrez, de son côté, avait appelé pour les informer de sa sortie de l'hôpital. Capestan n'était pas parvenue à le dissuader de prendre part à la filature. Il était en arrêt maladie, mais invoquer le règlement dans cette brigade relevait du ridicule. Quant à parler d'assurances à Torrez, on frôlait l'absurde. Il ferait donc équipe avec la commissaire pour la planque du lendemain, boulevard Beaumarchais, devant l'immeuble du divisionnaire. Torrez promit des tortillas en guise de ravitaillement.

Appuyée contre l'un des nouveaux meubles de cuisine, Anne Capestan observait ses coéquipiers qu'un rayon de soleil rasant avait attirés sur la terrasse. Évrard et Dax, accoudés au parapet, partageaient un sachet de Dragibus en devisant paisiblement. Rosière, assise à la petite table ronde en fer forgé, noircissait des pages qu'elle entassait ensuite sans précaution dans son sac à main. À ses pieds, Pilou vérifiait chaque chargement d'un coup de truffe discret. Lebreton, dans son transat, semblait contrarié par un moucheron qui s'était posé sur le revers de sa veste. Alors qu'il allait le chasser d'une pichenette, il stoppa son geste. Capestan pensa d'abord qu'il ne souhaitait pas l'écraser pour ne pas tacher son col, mais Lebreton se retenait aussi de souffler. En fait, il ne voulait pas blesser l'insecte. Capestan vit le commandant passer une main prudente sous sa veste et tapoter le tissu de l'intérieur pour entraîner une réaction. Le moucheron s'envola et Lebreton, satisfait, s'enfonça dans le transat en étendant ses jambes loin devant lui. Son goût pour les solutions pacifiques s'étendait même aux insectes, il ne transigeait décidément sur rien. Les jours passant, Capestan appréciait de plus en plus son équipe. Les éléments en présence en tout cas, ses effectifs étant potentiellement bien plus lourds que la dizaine de flics en exercice pour le moment.

Lebreton jeta un œil à sa montre. Vingt heures. Il s'étira et parvint à s'extirper du transat avec élégance. Il proposa de commander des pizzas. Ils tombèrent d'accord sur deux reines, une napolitaine, une quatre-saisons avec supplément fromage, et trois pots de crème glacée vanille-macadamia.

Quelques agapes plus tard, des cartons de pizza vides jonchaient la table basse. Un rouleau d'essuie-tout, dont les feuilles avaient fait office d'assiettes, avait roulé à terre. Dax le ramassa en tendant le bras, avant de se lever pour récupérer les glaces dans le congélateur. Capestan se souvint subitement qu'on était jeudi. Et qu'ils avaient une télé.

— *Laura Flammes*, saison 3 ! se réjouit la commissaire, en attrapant la télécommande.

Depuis le fauteuil où, avec des gestes délicats, elle distribuait sa croûte de pizza au chien, Rosière lui adressa un regard en coin. Elle ne savait pas trop si

Capestan se moquait ou non. Mais celle-ci repliait ses jambes sous elle dans le canapé, concentrée. Elle se tourna brièvement vers Rosière :

— Je ne dis pas ça pour te flatter, mais j'adore ta série. J'ai dû rater trois ou quatre épisodes, maximum.

Pour une fois, Rosière demeura coite. À propos de sa série et des critiques qu'elle occasionnait, l'auteur gardait en musette une collection de reparties cinglantes, mais aucune formule de remerciement, faute d'usage. Jamais un collègue n'avait reconnu aussi simplement qu'il suivait *Laura Flammes*. Pourtant peu à peu, chacun tirait sa chaise, son fauteuil, son pouf, pour se rassembler devant l'écran. Rosière, toujours muette, serra son chien un peu plus fort sur ses genoux.

Quand les trois notes de lancement retentirent, Pilou glapit de joie, en fan bien dressé. Alors que le nom d'Eva Rosière apparaissait au générique, Dax s'adressa à elle d'un chuchotement qui couvrit la musique :

— Tu parleras de nous dans le prochain, hein ?

Capestan sentit son portable qui vibrait. Elle s'isola pour répondre et revint s'installer au bout de deux secondes. L'intrigue n'avait pas encore démarré, Lebreton en profita pour se pencher :

— Du nouveau ?

— Merlot a perdu l'Écureuil.

— Ce n'est pas très grave, on sait où le trouver, maintenant. D'ailleurs, on pourrait peut-être lui parler, au fils, non ?

La commissaire hocha doucement la tête. Une sorte de plan lui était venu.

— Oui. Je me demande même si on ne va pas l'arrêter.

Debout dans son garage au sol en béton fraîchement brossé, Lewitz enfilait sa combinaison de mécano par-dessus ses vêtements. Il la zippa, puis choisit une clé dynamométrique parmi les outils alignés sur son établi. Il s'approcha du pont élévateur et étudia d'un œil passionné la merveille qui y trônait : roues directrices assistées hydrauliquement, deux essieux directionnels et un rayon de braquage de trois mètres cinquante. Un bijou de maniabilité. Lewitz sentit un frisson de joie anticipée lui grimper dans la nuque. Seul le moteur, un « VM » HR 494 HT3 Turbo Diesel de 2 800 centimètres cubes, lui parut un peu modeste. Mais il suffisait de le gonfler.

42

La radio grésillait dans l'habitacle, éructant des adresses par intermittence. Torrez, tout frais sorti de l'hôpital, avait le crâne dégagé de ses bandages mais conservait son bras droit en écharpe. Assis du bout des fesses sur son siège passager, il réglait la réception de la main gauche. L'index posé sur le bas du volant, Capestan s'efforçait d'ignorer les crachotements et surveillait l'entrée de l'immeuble de Valincourt sur le trottoir opposé du boulevard Beaumarchais. L'accident, en sonnant le glas de sa poisse, avait occasionné chez Torrez un solide retour de vocation. Cette radio qu'il avait réclamée pour compléter le nouveau gyrophare en était la manifestation la plus bruyante. Il s'escrimait à capter la fréquence de la police.

Un incessant ballet de piétons allait et venait devant leur pare-brise, des gens aussitôt remplacés par d'autres gens. Ils masquaient la porte cochère par touches successives, contraignant l'œil de Capestan à refaire la mise au point. Ce boulevard fréquenté était pénible à surveiller.

Une délicieuse senteur de tortillas aux poivrons avait effacé les vieux remugles de tabac froid de la 306, mais leur journée de planque n'avait rien apporté de nouveau sur le divisionnaire et l'Écureuil n'était pas encore passé voir son père. Il faudrait sans doute s'armer de patience avant que Valincourt ne commette une erreur véritable. La vidéo mise à part, on ne disposait de rien de suffisamment déterminant pour le pousser dans ses retranchements. Il fallait un levier pour le forcer aux aveux.

En ces temps où l'ADN, la preuve scientifique, faisait tout, Capestan continuait de miser sur cette bonne vieille preuve testimoniale : l'aveu circonstancié. Des détails à recouper, quelques remords, le soulagement qui accélère le débit et, enfin, le dernier mot du récit. Les épaules du suspect se relâchent, le coupable signe sa paix retrouvée et le flic peut savourer en mélomane le grattement du stylo sur le papier. Avec le gabarit de Valincourt, ce n'était pas gagné d'avance. Il fallait du matériel.

Sur les genoux de Capestan, le journal de bord du marin était ouvert sur les pages vierges de la fin. Elle l'avait d'abord lu avec attention, puis parcouru et relu. Il retraçait les errances d'un homme traumatisé, en recherche d'apaisement. Quelques scènes du naufrage surgissaient parfois au détour d'une longue introspection, mais rien dans ces histoires ne pouvait correspondre aux Valincourt, aucun nom, aucun détail ne semblait les concerner. Il faudrait chercher ailleurs le déroulé des événements.

— On capte mal, mais je pense que c'est celle-ci. Y a un truc dans le XXe, fit Torrez, toujours sur sa cibi.

— Oui. C'est une course aéroport. Tu es sur la fréquence des taxis.

Torrez grogna et replongea dans ses recherches. La tête ainsi penchée, le lieutenant exposait le crin noir et dru de ses cheveux. Leur coupe parut soudain singulière à Capestan. Ils étaient plus courts à droite de deux centimètres et une légère échelle escaladait la nuque. La commissaire repensa au turban de l'hôpital.

— Ils t'ont ratiboisé, au bloc ?

Sans se détourner de sa radio, Torrez passa une main carrée sur l'arrière de son crâne.

— Non, c'est mon fils. Il veut devenir coiffeur, alors je le laisse faire. Je lui donne deux euros et comme ça, il est content, il apprend.

Ce sacrifice capillaire sur l'autel de la paternité attendrit Capestan.

— Il a quel âge, ton fils ?

— Neuf ans. Je sais, c'est pas parfait, mais bon. Le pauvre, il a des ciseaux à bout rond.

Capestan contempla quelques secondes la bonne tête hirsute du lieutenant, puis reporta son attention sur la surveillance. Ce serait bien que Valincourt se décide à sortir de chez lui. Hier soir, après quelques courses à l'épicerie et un passage au pressing pour récupérer un uniforme, il était rentré dans son immeuble, puis plus rien, avait résumé Orsini. En cette fin d'après-midi, la fenêtre qui correspondait à son appartement était toujours éclairée.

Le portable de Capestan vibra, c'était Lewitz.

— Oui, brigadier ?

— Je viens de repérer le gamin. Il s'engage sur le boulevard au niveau de la Bastille. On le tape ?

Capestan hésita une dernière fois. Contre le jeune homme, il n'y avait qu'un délit de fuite en bas de chez Maëlle Guénan et un relevé téléphonique obtenu illégalement. Pas de quoi sortir le grand jeu.

— Oui, on l'arrête, mais gentiment surtout. Profitez du moment où il attachera son vélo. Il sera encombré.

Elle raccrocha et se tourna vers Torrez. Celui-ci, les yeux écarquillés, la dévisageait sans y croire :

— Tu viens de demander à Lewitz de s'occuper de l'arrestation ?

— Oui.

Masquant une vague appréhension par un ton décidé, Capestan avait répondu un peu rapidement. Elle porta son regard sur la rue. La commissaire jugeait évidemment salutaire de mener une politique de confiance envers et contre toutes les réputations, mais, à l'instant de vérité, certains risques lui apparaissaient plus clairement. Muni d'un volant, Lewitz pouvait produire d'importants dégâts. L'Écureuil pointa son casque vert en haut du boulevard. Capestan n'allait pas tarder à en avoir le cœur net.

Le vélo circulait entre les files de voitures. Au feu, il se déporta à droite et, mordant sur un passage piéton, il grimpa sur le trottoir d'un bond léger. Il avançait vite et la commissaire craignit qu'il n'atteigne la porte de Valincourt avant qu'on n'ait eu le temps de l'interpeller. Elle ne voyait toujours pas Lewitz, le gamin allait de nouveau leur passer sous le nez. Capestan s'apprêtait à ouvrir sa portière pour le rejoindre à la course, quand le brigadier fit irruption à l'angle de la rue du Pasteur-Wagner.

Le véhicule de voirie, une balayeuse vert gazon, surgit au feu, toutes sirènes hurlantes, et s'engagea directement dans le trafic. Dans la cabine de verre, Lewitz se tenait quasiment debout sur le volant. Il aperçut le vélo et accéléra aussitôt, dans un vrombissement de moteur. Les voitures dévièrent en tous sens, des klaxons retentirent, et un embouteillage commença à se former au passage de cette nettoyeuse devenue folle. Capestan sentit Torrez sursauter sur son siège.

— C'est Lewitz dans la motocrottes ?

— Ce n'est pas une motocrottes, c'est un Aquazura de…

— Mais comment il a eu ça ?

— Rosière, sur Internet. Les municipalités revendent leur matériel en fin de cycle.

Capestan grimpa en tension. Un véhicule peu puissant, qui se fondait dans le décor : à l'origine, l'idée semblait parfaitement adaptée aux planques comme au tempérament du pilote. À pleine vitesse, en revanche, on perdait en discrétion. Et le danger n'était plus le même.

Lewitz slalomait entre les voitures, quand il distingua un passage piéton suffisamment large pour rejoindre le trottoir. Il braqua à quatre-vingt-dix degrés et les pneus de la balayeuse crissèrent sur l'asphalte. Après une furieuse embardée au contact du bateau, il parvint à rétablir sa trajectoire et fonça droit devant. Les piétons médusés se plaquèrent aux murs pour esquiver les brosses qui rasaient le sol. Au passage de la police, les trottoirs resplendissaient. Lewitz, le visage hilare mais l'œil concentré, gagnait du terrain. Il accéléra encore, mais dut faire un brusque écart pour éviter un abribus. Emportée par l'élan, la lance de nettoyage à l'arrière du véhicule se détacha. Tel un serpent tenu par la queue, elle se mit à fouetter les airs au bout de son tuyau, frappant aveuglément poteaux et vitrines. Un homme plongea au sol et s'aplatit pour échapper à la décapitation. Sur le toit de la cabine, à côté du gyrophare orange habituel, la deux-tons bleue de la PJ chassait les imprudents. La foule s'écartait. Le vélo n'était plus qu'à quelques mètres.

— Mais c'est ma sirène ! s'indigna Torrez.

Sans quitter Lewitz du regard, Capestan apaisa les humeurs de son équipier.

— Oui, mais on peut se la prêter…

Une centaine de mètres en amont de la nettoyeuse, le bow-window d'un café empiétait sur la moitié du trottoir. Lewitz n'aurait jamais la place d'avancer. Capestan craignit que le lieutenant ne tente de passer à travers, purement et simplement, mais il obliqua à la dernière seconde et se lança vers la voie des bus, ses roues gauches mordant la chaussée, tandis que les droites poursuivaient sur le trottoir.

La balayeuse penchait, en vedette de la cascade. Les brosses tournèrent à vide, éclaboussant les alentours. Derrière son pare-brise d'hélicoptère, tendu sur son volant, Lewitz pencha lui aussi, comme s'il cherchait à redresser une moto. Il dépassa un horodateur qui l'aurait gêné, puis, guettant un bateau propice, d'une rotation sèche, il ramena la nettoyeuse sur le trottoir. Lewitz n'avait pas quitté le vélo des yeux un instant. Il avança sur lui, avalant les derniers mètres qui les séparaient.

Le garçon, alerté par le vacarme, se gara sur le côté d'un glissement vif. Lewitz ralentit à son approche et la lance retomba, épuisée, se laissant traîner à l'arrière du véhicule comme une batterie de casseroles. Le brigadier stoppa net au niveau du vélo. Il bondit de la cabine et, soudain ramené à la raison par le contact du trottoir sous ses pieds, il avança vers le garçon et lui saisit le biceps avec une douceur que Capestan n'aurait pas soupçonnée.

Mission accomplie. Aucun blessé. Aucun dégât. La commissaire put enfin expirer.

43

Assis sur la banquette arrière de la 306 des policiers, Gabriel se demandait comment il avait pu en arriver là. Les billes qui s'entrechoquaient dans son estomac depuis plusieurs semaines venaient de se dissoudre. Il n'était plus angoissé, il avait peur. Arrêté par les flics.

C'était à cause du délit de fuite. Quelle honte. Après trois jours chez Manon, il osait enfin rentrer pour avouer et demander conseil à son père, et là, il se faisait interpeller. Son père aurait pu l'aider, lui expliquer comment se comporter, quels étaient ses droits. Gabriel se sentit perdu, tout seul sur sa banquette.

Derrière la vitre, il regarda défiler la vie normale des autres gens. Ils marchaient vite, étudiaient les vitrines ou s'arrêtaient au milieu du trottoir pour afficher un texto qui venait de biper. Gabriel, lui, était dans une voiture de police. Il tenta de se calmer. Son père. Comme des corbeaux qui toquent au carreau, des doutes se présentèrent, d'abord timides, puis insistants. Les billes se reformèrent peu à peu, s'agglutinèrent en masse compacte.

Son père.

*

Gabriel Valincourt avait bien le physique d'écureuil décrit par Naulin : beau, agile, vif ; les cheveux, le teint et les yeux brun-roux. Il avait un regard doux qui, aujourd'hui, oscillait entre effarement et abattement. Un jeune animal sur lequel Capestan ne comptait pas jouer l'intimidation. Elle devait néanmoins obtenir un maximum d'informations si elle voulait reconstituer un bout d'histoire.

Elle lui désigna le fauteuil à côté de la cheminée. Malgré le faible poids du garçon, on entendit un ressort claquer. D'un sourire poli, Gabriel accepta le thé tendu par Évrard. Lebreton tisonna le feu quelques minutes, puis vint s'installer dans le deuxième fauteuil. Gabriel, qui avait visité le 36 où son père exerçait, observait les murs fraîchement tapissés, le miroir et les pantoufles dorées de Rosière avec l'air de se demander où il était tombé.

Sans animosité, Capestan, depuis le canapé, commença à le questionner sur sa présence chez Marie Sauzelle et, surtout, sur son délit de fuite. Gabriel se confondit en excuses.

— Je sais, je n'aurais jamais dû fuir comme ça, je suis désolé, vraiment, je me suis trompé. C'est à cause de… Je menais des recherches personnelles. Ma mère est morte dans le naufrage d'un ferry en 1993, dans le golfe du Mexique. Je n'avais que deux ans à ce moment-là et je n'ai aucun souvenir d'elle. Il ne reste rien en dehors de cette photo, dit-il en sortant de sa veste en jean la copie plastifiée d'un portrait de femme. Tout a disparu dans le naufrage.

Après l'avoir montrée à Capestan, il replaça soigneusement la photo dans sa poche intérieure. Puis, du plat de la main, il la tâta à travers le tissu de sa veste, s'assurant qu'elle ne s'abîmerait pas. La femme de Valincourt avait donc péri au cours du naufrage et Capestan se demanda comment.

Gabriel reprit, sans regarder les policiers autour de lui.

— Mon père n'arrive plus à me parler d'elle, ça le rend triste et je ne veux pas le forcer. Alors, j'ai réclamé la liste des survivants français au collectif et je suis parti à leur rencontre avec la photo…

Évrard avança le sucrier sur la table basse et, d'un geste absent, le garçon en piocha quatre avant de continuer :

— Pour demander… Je ne sais pas. Si quelqu'un l'avait connue. Se souvenait d'un détail, quelque chose. S'ils avaient sympathisé à bord. C'est pour ça que je suis allé à Issy-les-Moulineaux, madame Sauzelle était en haut de la liste. Je voulais aussi rencontrer le marin, monsieur Guénan, c'était le seul Français de l'équipage.

Gabriel, les cheveux dans les yeux, étudia le fond de sa tasse. Pour ne pas l'effrayer, les quatre policiers s'efforçaient de ne pas faire trop de bruit, on ne percevait que leur souffle et le ronflement du feu dans l'âtre.

— J'ai vu dans la liste que monsieur Guénan était mort, peu après son retour. Donc j'ai appelé sa femme. La veille de… enfin, vous voyez.

Le fils avait cherché à interroger les victimes. Le père ne l'avait pas laissé finir. Une ligne directrice prenait vie peu à peu dans l'esprit de Capestan.

— Ton père et toi avez pu vous en sortir, mais pas ta maman ? Ils se sont perdus au moment du naufrage ? demanda Rosière en essayant de ne pas gratter trop fort.

— Oui. Enfin, mon père avait demandé à ma mère de ne pas bouger pendant qu'il allait me récupérer dans la cabine, et quand il est revenu, maman n'était plus là. Il a pensé qu'elle avait déjà pu monter à bord d'un canot.

— Tes parents te laissaient seul dans la cabine, à deux ans ? fit Évrard, incrédule.

Elle venait de soulever un lièvre et Gabriel se troubla.

— Oui. Je ne sais pas, c'est ce que m'a dit papa, mais peut-être que j'ai mal compris…

Ce type de ferry ne disposait pas de cabines individuelles, songea Capestan. Le père avait menti au jeune homme. Gabriel s'enfonça dans le fauteuil, agrippant son thé des deux mains. Il n'en pouvait déjà plus et Capestan pressentait que sa journée était loin d'être achevée.

— Tu sais qu'on va devoir appeler ton père ? dit-elle.

— Oui.

— Tu préfères t'en charger ?

— Je veux bien.

Rosière récupéra sur son bureau l'appareil beige que fournissait France Telecom dans les années quatre-vingt-dix et tira sur le fil pour l'amener jusqu'au garçon.

— Ton portable, tu t'en sépares parfois ? vérifia Capestan. Tu le laisses sur ton lit pour aller dans la salle de bains ou sur la table du salon avant d'aller dans la cuisine ?

Gabriel tira sur le cordon de capuche de son sweat-shirt, ses pieds battirent faiblement le parquet.

— Oui. Parfois.

Le garçon faisait tout son possible pour ne pas voir où la commissaire voulait en venir. Il prit le téléphone de Rosière, le posa sur ses genoux, et le regarda un long moment avant d'appuyer sur les touches.

44

Un bruit de sonnette annonça l'arrivée d'Alexandre Valincourt. Il revenait d'une cérémonie où le préfet lui avait remis la Légion d'honneur. La brigade, rangs serrés, l'attendait depuis plus d'une heure. La nervosité et le trac vibraient dans la pièce principale. Chacun révisait son rôle avec application. Capestan avait exposé son plan : une course de relais en deux étapes, plus un sprint. Ils n'avaient d'autre choix que de réussir. S'ils se rataient contre Valincourt, ils finiraient tous dans un cul-de-basse-fosse, sans droit à la retraite. Ils s'attaquaient, ils le savaient, à plus fort qu'eux.

Après un dernier regard pour l'équipe, Capestan se leva et alla ouvrir. Sur le seuil, le divisionnaire, en uniforme de cérémonie, la jaugea en silence. Son nez busqué et ses grands yeux bruns dessinaient un visage d'aigle sur une silhouette longue et sèche de marathonien. Avec le père, le ton de Capestan se fit plus frais qu'avec le fils.

— Bonjour, monsieur le divisionnaire, dit-elle.

Valincourt se contenta de hocher le menton et passa l'entrée, casquette sous le bras, pour jeter sur le salon un coup d'œil narquois.

— Originaux, vos locaux. Vous vous occupez de quoi, ici ? L'administratif, le classement des archives, la relance des PV ?

Le divisionnaire jouait la carte de la grandeur qui daigne se déplacer pour piétiner le médiocre. Capestan décida de souffler un premier jet d'air froid :

— Le classement des archives, d'une certaine manière. Les vôtres, notamment, ça va vous intéresser…

Valincourt ignora l'allusion. Il tâtait le terrain, l'air de rien, mais refusait un affrontement jugé indigne de lui. Capestan avait tablé sur ce genre de réaction. Leur course de relais s'appuyait sur une stratégie d'usure. Au distingué Valincourt, ils allaient faire le bon vieux coup de la moquette : cuisiné dans une pièce puis déplacé dans une autre pour qu'un flic différent récolte les aveux sous l'effet du changement de ton et de décor. Une méthode basée sur les déclics psychologiques, longuement éprouvée à la PJ. Aujourd'hui, l'adversaire s'annonçait coriace, le coup de la moquette, il connaissait. Il faudrait enjoliver. Mais pour cela, la brigade disposait d'une arme de déstabilisation sournoise : la poisse, la scoumoune, Torrez.

— C'est le lieutenant Torrez qui va vous recevoir pendant que je boucle la procédure avec votre fils.

Valincourt cilla légèrement, mais sans se laisser démonter. L'homme restait très impressionnant. Sans même bouger, cerné par les flics de la brigade, il dominait le salon. Les policiers faisaient l'effet des petits immeubles tordus piqués autour de Notre-Dame. Pour abréger cet effet de règne, Capestan donna le signal d'entrée de Torrez.

Il y eut un frémissement dans la pièce, puis la brigade s'écarta en silence, surjouant la haie d'horreur pour laisser passer le chat noir. Il portait un veston en velours côtelé brun foncé qui couvrait son bras en écharpe. Sa barbe réapparaissait, assombrissant ses joues, et son œil noir parachevait son profil de funeste sort. Le lieutenant, plus sérieux que jamais, s'approcha de Valincourt. Il se positionna un peu trop près, mordant sciemment sur la limite de distance intime.

— Si vous voulez bien me suivre, monsieur le divisionnaire.

Figé dans sa raideur, Valincourt marqua un temps d'hésitation. Il était visiblement partagé. S'il suivait le lieutenant, il se pliait aux injonctions de cette brigade de minables. Mais en refusant de le suivre, il aurait l'air de reculer sous l'effet de la peur et de la superstition. Dans les deux cas, il écornait sa crédibilité. Il était piégé. À long terme, la lâcheté dut lui paraître plus dommageable et, après un signe de tête en direction de Capestan, il se décida à accompagner Torrez dans son bureau.

*

Torrez ouvrit la porte et invita le divisionnaire à le précéder.

— Je vous en prie, asseyez-vous, dit-il sans désigner aucun fauteuil en particulier.

Valincourt, les mains dans le dos bouclées sur la visière de sa casquette d'uniforme, détaillait la pièce en s'efforçant de ne rien toucher. Il croit en ma légende, songea Torrez, ma proximité le terrifie, comme n'importe quel flic.

Des deux sièges face au bureau, Valincourt choisit le moins accessible et s'y installa avec un calme mesuré. Torrez feignit l'embarras :

— C'est le mien, d'habitude. Non, ne bougez pas, ce n'est pas grave. On verra.

Le divisionnaire ne put empêcher son corps de se soulever de quelques centimètres.

— La commissaire Capestan n'en aura pas pour longtemps, je pense, fit Torrez en passant derrière son bureau.

Puis il attendit, simplement, étirant l'instant pour laisser le champ libre à la paranoïa qui, à coup sûr, grimperait. Torrez faisait cet effet. En sa présence, les flics évoluaient tels des arachnophobes dans un panier de mygales. Les plus téméraires se dispensaient juste de courir. Parfois une tête brûlée se faisait le coup du toréador et s'approchait, le corps en alerte. Un regard et il repartait. Les fous jouent avec la mort, mais pas avec la poisse. La poisse vous promet le pire : la maladie, la ruine, l'accident, pour vous, vos proches, à petit feu et sans gloire. La poisse gangrène là où on ne l'attend pas.

Valincourt ne bougeait pas. Immobilité parfaite. Les particules autour de lui l'avaient déjà touché, c'était perdu, mais il ne voulait pas que d'autres s'y ajoutent. Torrez se demanda si, en effet, il lui nuisait ou pas. Depuis Capestan, ses certitudes vacillaient, le plâtre se craquelait et il respirait mieux. Il avait une collègue avec qui prendre un café et parler du week-end. Un rêve de vingt ans de carrière. Capestan était plus orgueilleuse qu'un régiment de Corses, mais elle abordait son entourage avec le sourire clair, la bienveillance aux aguets. Capestan ne toréait pas avec lui, elle travaillait. Elle lui avait confié le premier relais.

Valincourt se racla la gorge. Il voulait reprendre la main :

— Bon. Où est mon fils ?

— Dans un bureau à côté, avec la commissaire Capestan et la lieutenant Évrard, elles s'occupent bien de lui, vous n'avez rien à craindre.

— Ce n'est pas la question, fit le divisionnaire avec un geste de la main qui balayait ces inquiétudes de mère poule. Que fait-il dans ces bureaux ? Qu'avez-vous à lui reprocher ?

— Je ne sais pas, ce n'est pas moi qui m'occupe de cette affaire, répondit Torrez en ouvrant un de ses tiroirs pour en sortir un dossier.

Il le posa sur son bureau et le laissa fermé, sous ses doigts croisés. Valincourt esquissa un mouvement d'impatience. D'inconfort aussi, les parasites grignotaient l'armure. Torrez reprit :

— Non, moi, je m'occupe d'une autre affaire…

— Mais je me fous de vos petites affaires, je ne suis pas venu pour m'installer ! Cela suffit, à présent, si vous croyez que j'ai du temps à vous consacrer… Conduisez-moi à Gabriel, qu'on en finisse.

Valincourt s'estimait très au-dessus de cette attente qu'on lui imposait, la présence de Torrez augmentant le sentiment d'urgence.

— Moi, je m'intéresse à un crime datant de 2005 sur lequel on a du nouveau, déclara le lieutenant, imperturbable.

Une note de surprise brouilla fugacement les traits du divisionnaire. La curiosité allait le retenir. Depuis plusieurs années, il couvait des meurtres impunis. Valincourt voudrait connaître les cartes en leur possession. Lentement, Torrez détendit les élastiques autour du dossier et tira un cliché couleurs qu'il fit glisser vers son interlocuteur. Il s'agissait de Marie Sauzelle.

— Vous la connaissez ?

Valincourt lui accorda à peine un coup d'œil.

— Bien sûr, je me suis occupé de l'affaire.

Torrez opina gravement et se composa une gueule de fléau de Dieu, puis il sortit un deuxième cliché, celui d'une boîte aux lettres. Il le tourna vers son interlocuteur et posa son index carré sur la photo pour désigner l'autocollant « Pas de pub, merci ».

— On trouve ce genre d'autocollant chez les écolos ou ceux qui partent en vacances.

Torrez hocha la tête, comme pour apprécier cette sage précaution.

— Mais vous savez où on n'en voit jamais ?

Le regard de Valincourt fuyait. Torrez répondit à sa propre question :

— Chez les dames qui collectionnent les bons de réduction.

Il médita ces paroles, avant d'aboutir à leur juste conclusion :

— Or un autocollant ne surgit pas sous le coup d'une impulsion, il faut l'apporter avec soi. Pour un tueur, c'est de la préméditation.

Le lieutenant avait détaché les syllabes du dernier mot. Valincourt desserra brièvement les lèvres, mais dut trouver plus judicieux de ne pas commenter. Après tout, il n'était pas explicitement accusé. Il arqua ses sourcils dans une attitude de mépris. Il pouvait contrôler ses expressions, mais il ne put s'empêcher de pâlir. Il était ferré. Il était temps de passer le relais. Torrez avança sa main et, ultime banderille, donna une petite tape sur le bras du divisionnaire :

— Suivez-moi.

*

Torrez remonta le couloir et conduisit un Valincourt encore debout, mais fléchi, dans le grand salon où l'attendait Lebreton devant un bureau parfaitement rangé. En arrière-plan se tenaient Rosière et Orsini, tous deux équipés d'épais blocs-notes.

Le divisionnaire venait d'affronter le Destin. Torrez le livrait maintenant à la Loi et à l'Opinion : Lebreton et l'estampille IGS, Orsini et la presse, Rosière et les foules. Valincourt ne broncha pas, mais ses tempes, sous le coup de l'épreuve passée, commençaient à luire de sueur. Il recouvra néanmoins toute apparence de dignité et, ne voyant toujours pas son fils, protesta d'une voix ferme :

— Bon, où est-il ? Je vous ordonne de le relâcher. Maintenant.

Lebreton rapprocha sa corbeille à papier du pied de son bureau, puis la recula finalement.

— Non.

— Pardon ? Vous avez une idée de la personne à qui vous vous adressez ? Sous quel motif retenez-vous mon fils, pour commencer ?

Lebreton rangea dans son pot à crayons un porte-mine qui traînait, puis finit par s'adosser à sa chaise, le visage impassible.

— Un délit de fuite, il vous l'a dit au téléphone tout à l'heure.

— Soyons sérieux, capitaine…

— … Commandant…

— Il passait dans une rue, c'est ça ? Il a couru quand Capestan l'a abordé ? Elle est ravissante, mais les jeunes gens sont parfois timides, vous savez. Elle a tort d'en prendre ombrage.

Lebreton eut un sourire amusé. Valincourt tentait un registre dont le quart d'heure passé avec Torrez avait entamé la légèreté : l'ironie souffrait difficilement le tremblement des cordes vocales. Valincourt perçut lui aussi la faille dans sa voix et un voile de gêne se peignit sur son visage.

— Il passait dans la rue d'un meurtre, rappela Lebreton en désignant le fauteuil face à lui.

Valincourt empoigna le dossier du fauteuil et marqua un léger temps avant de se résoudre à s'asseoir.

— Il me rendait visite. Écoutez, il s'agit d'une arrestation arbitraire, vous le savez. Vous ne pouvez inculper mon fils de quoi que ce soit, vous n'avez rien.

— Absolument.

D'un geste dédaigneux, le divisionnaire engloba la pièce et la brigade :

— Vous n'êtes même pas habilités à placer en garde à vue.

— En effet, je ne pense pas, admit Lebreton d'un ton égal.

Il étudiait le langage corporel de son interlocuteur, d'une raideur quasi militaire. Il ne s'était pas changé avant de venir et se présentait à eux en uniforme, rien d'anodin. Il tenait à signifier son prestige, rappeler son rang.

— Bien, fit Valincourt. Relâchez-le.

— Évidemment, céda Lebreton.

Valincourt fit mine de se relever sans plus de commentaires, jusqu'à ce que le commandant précise plus clairement ses intentions :

— Je le relâche, car il n'a assassiné personne. Vous, en revanche…

Le divisionnaire tressaillit mais se reprit aussitôt, se composant un flegme de circonstance.

— Mais comment osez-vous, minables flicaillons ? De quel droit portez-vous des accusations pareilles ?

— Du mien. Vous avancez sur l'affaire Maëlle Guénan ? Nous, on tient le coupable.

— Cessez votre cirque. Je restais par courtoisie, mais cette fois…

Valincourt se leva et coiffa sa casquette d'uniforme. Il s'apprêtait à gagner le couloir où Capestan avait disparu pour récupérer Gabriel.

— Que faisiez-vous le jeudi 20 septembre, entre huit heures et dix heures ? lança Lebreton.

— Je ne répondrai pas à vos questions.

— Je m'en charge alors. Le 20 septembre, vous vous êtes rendu rue Mazagran, avec un bloc de couteaux de cuisine, vous avez sonné chez Maëlle Guénan, et vous l'avez poignardée, avant de fouiller l'appartement à la recherche de documents laissés par son mari.

Sur ce dernier point, Lebreton guettait une confirmation. Au faible recul du divisionnaire, il sut qu'il avait touché juste.

— Vous l'avez assassinée, tout comme Yann Guénan et Marie Sauzelle. Vous connaissiez les victimes et vous nous l'avez délibérément caché. Épargnez-vous des objections superflues, on a la vidéo. La commémoration d'un naufrage, ça vous revient ?

Lebreton actionna la télécommande du téléviseur qui s'alluma sur l'image en pause de Valincourt avec Sauzelle. Cette fois, le coup porta. Les issues se verrouillaient. Un éclair de panique traversa l'œil de Valincourt, vite chassé par l'instinct de survie qui reprenait le dessus.

— Vous mériteriez que j'appelle un avocat.

Lebreton se tourna vers Orsini et Rosière qui, derrière lui, n'avaient cessé d'écrire. Sans jamais dévier de leur bloc, ils ponctuaient les échanges de hochements de tête satisfaits.

— Vous noterez qu'en pleine visite de courtoisie, le commissaire divisionnaire Valincourt a évoqué la présence d'un avocat.

Lebreton se tourna de nouveau et s'enquit avec civilité :

— Voulez-vous contacter votre avocat ?

Valincourt eut un geste de dénégation agacé et Lebreton le dévisagea un moment sans sourire. Poisse, lien, préméditation… Il laissait le divisionnaire digérer pleinement les implications des échanges précédents.

Des fenêtres ouvertes sur la rue montait l'odeur grasse des paninis réchauffés. Aux abords de la fontaine des Innocents, les garçons meuglaient, les filles piaillaient. La faune adolescente quadrillait le quartier des Halles en ces derniers jours d'été indien. Lebreton détailla Valincourt. L'ascèse incarnée, l'autorité en marche. Une pointe de fébrilité dans les mouvements trahissait l'épaisseur de la brèche. Il attendit que l'assurance se fendille encore un peu, puis libéra son monologue de fin :

— Pour Yann Guénan, vous avez travaillé proprement, en professionnel. Mais chez Marie Sauzelle, vous avez agi avec précipitation. Des fleurs alors qu'elle les détestait, la télé sur « mute », le verrou : tout indiquait la présence d'un visiteur et non d'un cambrioleur. Vous ne la connaissiez pas suffisamment pour que les traces de votre passage se fondent dans le décor. Vous avez emporté le courrier pour qu'on ne retrouve pas l'invitation du collectif, mais pour le coup il ne restait plus une enveloppe. Peut-être que la honte aussi a brouillé votre raisonnement. Le chat, par exemple. Pourquoi emporter le chat ? Pour ne pas donner l'alerte ? Capestan pense que vous aimez les animaux, que la mort du chat n'était pas justifiée et que vous tuez uniquement par nécessité. Je ne sais pas.

Par cette dernière phrase, Lebreton indiquait qu'il réfléchissait encore sur la question du tempérament, mais détenait une absolue certitude quant au meurtre. Il resserra la prise d'un cran supplémentaire :

— Nous avons relevé des poils de ce chat sur le sweat-shirt de votre fils. Les techniciens sont en train de comparer.

Un tic discret tira les lèvres du divisionnaire et le commandant adressa un signe convenu à Orsini qui partit chercher Capestan. Valincourt était pour elle, à présent.

*

Capestan avait longuement songé au mobile. Une seule hypothèse tenait la route : Valincourt avait assassiné Marie Sauzelle, Yann Guénan, et par extension sa femme Maëlle, parce que tous trois savaient une chose que Valincourt devait enterrer. Restait à savoir quoi.

Mais quelle que soit cette faute originelle, pour prendre de tels risques, Valincourt voulait la cacher à quelqu'un de très important. Son fils, forcément. Le dernier levier se tenait là.

Débouchant du couloir qui conduisait à Gabriel, Capestan pénétra dans le salon et fit signe à la brigade de s'éclipser. Le visage fermé, elle s'approcha de Valincourt et saisit la chaise que Lebreton venait d'abandonner. Avant même de s'asseoir, elle démarra d'un ton sec.

— Votre fils n'est pas très en forme, monsieur le divisionnaire. Et heureusement pour lui, il n'a pas encore lu ça, dit-elle en balançant le journal de bord du marin sur le bureau.

Valincourt était allé chez Maëlle Guénan pour la faire taire avant l'arrivée de Gabriel, mais aussi pour chercher des documents compromettants, puisque le meuble bleu avait été fracturé. Le journal ne contenait rien d'incriminant, mais ça, Valincourt l'ignorait. Il avait une vilaine histoire à étouffer, de celles qu'on voit écrites dans tous les livres, sur tous les murs, dès qu'on culpabilise. Le divisionnaire éprouvait forcément des remords. Il avait emporté le chat, il avait recoiffé Marie. Cet homme avait une conscience, c'est là qu'il fallait frapper.

— Vous reconnaissez ce cahier ? Vous avez tué une femme de quarante-trois ans pour l'obtenir. Faisant de son fils un orphelin, pour la seconde fois.

Capestan alluma l'ordinateur qui bourdonna pour réveiller ses logiciels. Elle tourna l'écran entre Valincourt et elle, et posa le clavier face au divisionnaire. Celui-ci eut un bref recul de surprise et toucha le clavier du doigt, avant de négliger l'appareil. Mais l'idée de taper des aveux traçait son chemin. Capestan poussa l'avantage, avec brusquerie.

— Vous avez cafouillé, Valincourt, mais je comprends qu'on ne lésine pas pour enterrer ça, fit-elle en couvrant le journal de sa paume. Alors, vous le savez, mes collègues sont civilisés, mais moi je suis capable de tout. Ce cahier, je vais le donner à Gabriel. Il va subir le choc sans anesthésie. Et si vous persistez à ne pas vous rendre, vous laisserez à votre fils l'obligation morale de vous dénoncer.

Jamais Capestan ne se serait abaissée à une telle infamie, mais elle savait profiter de sa réputation, largement entretenue par des pontes comme celui qui lui faisait face.

Valincourt déglutit rapidement, bluff ou pas bluff, il perdait pied. Il assistait au réquisitoire sans avoir le temps de l'analyser. Capestan enchaînait rapidement, après avoir fait jaillir le visage du fils au premier plan.

Si l'émotionnel prenait le dessus, le besoin de se justifier suivrait. Capestan ramena le journal à elle, avant d'achever :

— Décidément, vous ne lui épargnez rien.

Elle se leva. Valincourt considéra le journal de bord et soupira. Ses épaules s'affaissèrent légèrement et une expression de profonde fatigue détendit ses traits. Il consommait sa reddition.

— Ce n'est pas vrai, dit-il calmement. Je l'ai épargné, au contraire…

— Prouvez-le, signez des aveux. Et parlez-lui en personne, sans vous défiler derrière un tiers. Ou pire, la presse.

Capestan enfonçait le clou, pour river l'instant. Elle désigna le clavier du menton.

— Prenez vos responsabilités. En contrepartie, je vous laisse deux heures en tête à tête avec votre fils. Je ne contacterai Buron qu'après, à lui la charge de prévenir le parquet. Deux heures.

Capestan marqua un temps, s'assurant que Valincourt distinguait les enjeux. Effaçant la dureté dans sa voix, elle conclut :

— Pour vous, c'est fini. Pas pour lui, il commence.

Valincourt rapprocha le clavier en silence. Avant de taper, il précisa simplement :

— Sa future femme s'appelle Manon, je vais vous donner son numéro. Ce serait bien de l'appeler d'ici deux heures. Gabriel va avoir besoin d'elle.

45

Voilà. Il y était maintenant. Alexandre Valincourt avait vécu les vingt dernières années de sa vie dans la hantise de ce moment. Vingt ans durant lesquels chaque décision avait visé à retarder, éviter cet instant. Tous ces meurtres, pour vingt pauvres petites années arrachées à la vérité. Et il atterrissait ici, sur un fauteuil bancal, dans ce commissariat déchu, tapant des aveux sur un clavier gris d'usure. À deux minutes de retrouver son fils et de devoir lui dire, lui dire… Comment l'annoncer à son fils ?

Les apparences jouaient tellement contre lui. Alexandre repoussa le clavier en direction de Capestan qui lança l'impression. Elle attendit les feuilles debout devant l'imprimante et les lui tendit sans même les lire. Il prit un stylo dans sa veste d'uniforme et signa. Il se leva, tout en rangeant son stylo, et suivit Capestan qui le conduisit au bureau où se trouvait Gabriel. Elle frappa, fit signe aux deux lieutenants de sortir et s'effaça pour laisser entrer le divisionnaire.

Il ressentait un grand calme maintenant, un apaisement infini, la mort ou quelque chose comme ça. Capestan referma la porte derrière lui.

*

— Bonjour Gabriel, fit Alexandre sans trop s'approcher de son fils. Ils vont te laisser sortir.

Valincourt chercha les mots suivants. Rien de convaincant ne se présenta, il dut continuer avec les faits bruts.

— Moi, en revanche, je vais rester. Je me rends. J'ai tué des gens. Je n'avais pas le choix. C'était… C'était la seule solution pour que tu grandisses tranquillement.

Il n'avait pas besoin de demander à Gabriel de le laisser parler, de ne pas l'interrompre, son fils se tenait le plus loin possible dans son fauteuil et n'osait pas même trembler. Un galon de l'accoudoir se décollait et Gabriel le tiraillait machinalement de la main droite. Les pieds ancrés au sol, on le sentait prêt à bondir, toujours vif. Valincourt inspira, saisit une des chaises contre le mur, s'assit au bout et reprit la parole :

— Je vais t'expliquer…

— C'est le bateau, c'est ça ? Il s'est passé quelque chose ? coupa Gabriel, impatient d'avoir tort.

— Oui, répondit Valincourt.

Il avait du mal à se concentrer et il se frotta les yeux. Le naufrage lui revenait en mémoire, entêtant. Alexandre Valincourt percevait les cris qui montaient, se rapprochaient, une corne de brume hurla, inutile, et des passagers le frôlèrent en courant. Il secoua brusquement la tête pour se réveiller et affronter son fils qui le fixait. Il baissa les yeux.

— Tu as fui sans attendre maman, c'est ça ?
— Non, murmura Valincourt.

*

Pour ses dernières heures en Floride, Rosa avait passé une fine robe de coton turquoise sur son corps mince. Elle s'était avancée vers le ponton d'embarquement avec les enfants, désignant du menton Alexandre au contrôleur pour les billets. Alexandre la contemplait tout en tendant les réservations au responsable du terminal, un Américain gigantesque dans une chemisette trempée de sueur. Alexandre pouvait lire la mélancolie sur les traits de la jeune femme, elle lui en voulait de lui imposer ce nouveau déracinement. C'était le seul choix raisonnable, bien sûr, mais elle lui en voulait. Alors qu'elle se tournait vers le large, son fils Antonio en profita une fois de plus pour échapper à sa vigilance. Il se dirigea furtivement vers un perroquet que ses maîtres avaient encagé pour le voyage. Il frappa les barreaux du plat de la main et l'animal, terrorisé, battit des ailes en criant.

Ce gosse était une vermine. Une vermine surprotégée par sa mère qui l'adorait et lui pardonnait tout, sous prétexte qu'il avait grandi sans son père. Un père qui ne valait sans doute pas mieux et que Rosa persistait à vénérer pour d'obscures raisons politiques. Encore un guérillero qui se gargarisait de courage au combat et fuyait la moindre responsabilité familiale. Il avait abandonné cet Antonio, cet Attila, et c'est Alexandre aujourd'hui qui devait élever le petit tyran, qui devait surtout le surveiller comme le lait sur le feu dès qu'il s'approchait de Gabriel, le fils adoré, trésor d'Alexandre, splendide incarnation de son amour pour Rosa. Gabriel était doux, beau et souriant, il n'avait pas deux ans mais déjà rien en commun avec ce demi-frère stupide et brutal qui lui avait arraché le lobe de l'oreille d'un coup de dents.

Au loin, Alexandre vit Attila qui attrapait la main de Gabriel et la plaquait sur la cage. Il cherchait maintenant à la faire passer entre les barreaux, le perroquet allait mordre. Alexandre planta sur place les bagages et parcourut à toute allure les quelques mètres qui le séparaient des enfants. Il souleva Attila d'une main et, de l'autre, le gifla à toute volée. Rosa poussa un hurlement. En une seconde, elle fut sur Alexandre qu'elle secoua avec rage. Une fois encore, malgré l'amour infini qui les unissait, et à cause de ce gosse qui se roulait à leurs pieds, Rosa et Alexandre se livrèrent à une violente dispute. Attila serait toujours entre eux, comme une tique sur un bonheur parfait, un parasite tout juste bon à détourner l'amour de Rosa.

En les doublant, la mamie avec qui ils avaient discuté devant le terminal leur adressa un regard réprobateur. Une si jolie famille, se déchirer ainsi. Pendant ce temps, le navire larguait les amarres, les hommes d'équipage prenaient leurs postes, invitaient les passagers à rejoindre le bar ou les vastes cabines moquettées de bleu. Le ferry prenait la mer sans s'inquiéter du vent noir et opiniâtre qui soufflait du large.

— Tu l'as abandonnée ? C'est ça ? Qu'est-ce que t'as fait, papa, dis-le-moi, pria Gabriel, la gorge serrée.

Valincourt tenta de recouvrer ses esprits, de revenir dans la pièce où son fils le réclamait. Il ne lui avait jamais parlé d'Antonio, celui-ci ne portait pas son nom et n'apparaissait nulle part. Mais il était temps.

— Tu avais un frère.

Un bref éclair de joie passa dans le regard de Gabriel. D'un triste mouvement de tête, Alexandre le fit aussitôt disparaître.

— Un demi-frère. Tu ne l'aimais pas, ajouta-t-il comme pour le consoler.

— Où il est ? tenta Gabriel.

Valincourt inspira de nouveau. Les eaux du golfe du Mexique commencèrent à clapoter contre ses flancs, une fine bruine lui colla au visage et sa vue se brouilla.

Après leur dispute, Rosa était montée directement au bar, sur le pont supérieur. Seule. Malgré sa rancune, elle avait confié Gabriel, bien sûr, mais aussi Antonio, à la garde d'Alexandre. En signe de représailles peut-être, ou pour mettre au défi son sens du devoir. Le sens du devoir. Celui d'Alexandre Valincourt était le plus affûté de tous.

Ils étaient là, tous les trois, sur le pont inférieur. Les garçons jouaient, Alexandre ruminait, assis dans son transat. Un souffle violent fit subitement claquer une drisse le long de la coque. Une tempête menaçait. Pourtant, les prévisions météo n'annonçaient pas d'ouragan avant un ou deux jours, mais la houle, elle, l'annonçait pour tout de suite. Dès les premières gouttes, le sol devint glissant et le pont se vida. Alexandre se leva. Il fallait faire rentrer les enfants.

Les vagues frappèrent le bastingage et le ferry se mit à tanguer de plus en plus fort.

Puis la pluie s'abattit en cascade et une nuit opaque tomba en plein après-midi.

Des cris d'affolement se répandirent sur le navire. Un pan de sa veste restait coincé dans la structure du transat et Alexandre tira dessus avec impatience, refusant contre toute logique de l'abandonner là. Debout, en déséquilibre, il hurla pour appeler les garçons situés à trois mètres à peine. La veste céda enfin et Valincourt put se redresser tout à fait pour voir Gabriel qui, de sa démarche mal assurée, avançait de quelques pas, les bras écartés. Un choc inattendu fit trembler le navire. Gabriel bascula vers l'avant et Attila, terrorisé, le piétina pour se réfugier dans les jambes d'Alexandre. Étalé de tout son long, Gabriel glissait maintenant vers le bord, sous les paquets d'eau qui secouaient le bateau. Son regard s'arrondit et alors qu'il ouvrait la bouche pour appeler, il avala sa première tasse. Un courant d'adrénaline électrifia Valincourt, il se précipita vers son fils et agrippa son pull d'une seule main. Attila, en pleine panique, grimpait le long du corps de son beau-père, il gagnait son torse, entravant ses mouvements. Le coton du pull s'étira sous les doigts d'Alexandre et, insidieusement, la peur fit place à une colère froide. Une opportunité extraordinaire s'offrait à lui. L'occasion d'en finir une bonne fois pour toutes avec cette graine de tortionnaire qui minait son fils. Au final, ce déluge allait tout régler.

Pour assurer sa prise, pour sécuriser Gabriel, Valincourt devait de toute façon se dégager d'Attila. Alors, il s'en dégagea.

Valincourt, comme on se débarrasse d'un crabe qui vous pince, détendit sèchement le bras pour décrocher le petit. Les mains d'Antonio s'ouvrirent sous l'élan et, dans un cri, il valsa par-dessus bord. Il battit des jambes, des bras, pour trouver à s'accrocher. Perdue dans le fracas des lames, sa chute n'eut aucun écho.

Alexandre serra Gabriel contre lui, puis pencha la tête au-dessus du bastingage. Le corps d'Attila avait disparu. Alexandre cligna des yeux et entendit les haut-parleurs cracher des consignes inaudibles. Une voie d'eau s'était ouverte à la poupe, la mer s'engouffrait dans la cale en flot continu. Une odeur écœurante de gasoil gagnait l'atmosphère. Alexandre frotta les cheveux de Gabriel et se tourna vers l'intérieur du bateau. L'œil de Rosa le figea sur place.

Elle se tenait à l'entrée des cabines, sidérée, pétrifiée. En une fraction de seconde, son visage passa de la détresse au mépris, à la haine. Elle jeta son sac et se précipita vers une bouée, dont elle s'empara pour plonger dans l'eau noire au secours de son fils, sans l'ombre d'une hésitation. Valincourt n'eut pas un geste pour la rattraper. Il entendit une voix d'homme qui tonnait pour retenir la jeune femme. C'était une autre voix que la sienne, celle d'un officier de marine apparu dans son dos. Un homme qui se tenait là depuis quelques instants déjà et qui, plus tard, se souviendrait de ce qu'il avait vu.

*

— Au cours du naufrage, ton demi-frère est tombé à l'eau. Ta mère a sauté pour le sauver, mais elle s'est noyée. Je n'ai rien pu faire. Je ne pouvais pas te lâcher pour sauter à mon tour.

Rosa engloutie. Rosa qui n'avait pas su pourquoi, qui n'avait pas compris, qui l'avait pris pour un monstre. Rosa noyée. Et noyée avec elle la promesse d'une existence lumineuse pour Alexandre et son fils. Valincourt n'arrivait pas à se le pardonner. Il n'avait pas su rattraper Rosa. La vie ne serait plus la même. Attila les aurait empoisonnés jusqu'au bout.

— Mais…

Gabriel ne comprenait pas.

— … C'était un accident, alors.

— Oui, affirma Valincourt sans oser croire à sa chance.

Gabriel secoua la tête, ses cheveux bouclés balayant son front.

— Mais pourquoi tuer les Guénan, alors ?

Oui, pourquoi alors ? Valincourt ne pourrait se contenter de cette version. Il devait céder la vérité. Une vérité atténuée suffirait peut-être.

— En fait, si ton demi-frère est tombé, c'est parce que je l'ai bousculé. Il te bloquait l'accès aux cabines, ça devenait dangereux. Je l'ai écarté et il a glissé. Yann Guénan m'a vu. À son retour en France, il a voulu me faire chanter.

Guénan l'avait vu se débarrasser du garçon. Mais il ignorait le nom de Valincourt, le nom d'un passager parmi des centaines d'autres. Dans le chaos qui avait suivi, la panique avait créé des foules compactes. Lorsque les opérations de secours avaient enfin débuté, le ferry s'était déjà couché sur le flanc, emportant des dizaines d'hommes et de femmes. Les hélicoptères et les navettes avaient peiné à évacuer les survivants, les voyageurs avaient été dispersés. Valincourt et son fils avaient pu s'en tirer et regagner la France sans encombre.

Mais Alexandre se méfiait des suites. Il avait cherché le nom du marin. Et il l'avait localisé dès que celui-ci avait posé le pied à Paris. Il répugnait pourtant à l'assassiner, cela devait répondre à une absolue nécessité. Guénan, dans la confusion, avait peut-être effacé le souvenir. Pour en avoir le cœur net, Alexandre l'avait filé, régulièrement. Et quand le marin avait entamé le tour des rescapés français, alors Valincourt s'était résigné. Si Guénan croisait sa liste avec son visage, si Guénan le dénonçait, il subirait un procès, la prison pour infanticide, des années, et Gabriel serait placé dans une famille, à la merci de n'importe quel détraqué. Inacceptable. Alexandre ne courrait pas ce risque. Il avait étudié la situation et guetté le moment opportun. Le sang-froid avait fait le reste.

— Du chantage ? Mais…

Gabriel réfléchissait, sa pensée allait plus vite, plus loin qu'il ne l'aurait voulu. Alexandre le vit parvenir à Sauzelle, une vieille dame, et retenir sa question. De nouveau, les pieds du garçon, sans qu'il en ait conscience, testèrent leurs appuis sur le parquet. Le galon du fauteuil tenait maintenant dans son poing fermé, sans qu'il lui accorde un regard. L'inconscient de Gabriel visait désespérément la porte de sortie, mais les sourcils froncés, il se força à poursuivre :

— La vieille dame ?

— Guénan lui avait raconté.

Au cours de cette conversation, Marie Sauzelle n'avait pas fait le rapprochement avec la famille croisée lors de l'embarquement. Mais au cours de la commémoration, en voyant les photos de Rosa et d'Antonio qui défilaient, le souvenir des anecdotes du marin s'était ravivé. Elle s'était interrogée et, dans sa grande naïveté, avait posé la question à Valincourt.

Les meurtres qui succèdent aux meurtres. Valincourt contempla de nouveau son fils. Assommé. Ce fils qu'il aimait tant, ce dernier sang de Rosa. Il était tellement jeune.

— Je suis désolé, murmura Valincourt.

Gabriel n'écoutait pas sa désolation, Gabriel s'effritait, mais il continuait de se débattre.

— La femme de Guénan ? Tu m'as suivi pendant que j'enquêtais ? Tu as regardé mon téléphone ? Pour la faire taire ? C'est à cause de moi ?

Gabriel avait beaucoup de questions, à présent. Valincourt ne détenait qu'une seule réponse :

— Rien n'est à cause de toi. Rien. J'ai fait ce que je pouvais, mais toi… Tu ne mérites pas une seule des minutes que tu es en train de vivre. Je suis désolé.

Les yeux d'Alexandre rougirent et quelques larmes se décidèrent à perler. S'ensuivit un long silence que ni le père ni le fils ne surent apprivoiser. Ils restèrent sans bouger, ne respirant qu'à moitié. Puis Gabriel se leva, chancelant, et gagna la porte. Il l'ouvrit et vit Manon plus loin, adossée dans le couloir. Il marcha lentement jusque dans ses bras.

Orsini patientait à la caisse du magasin de fêtes et costumes. En plus de la banderole, il avait choisi des ballons gonflables, trois guirlandes multicolores et quelques lampions en papier dont deux figurant le soleil et la lune. Son mobile vibra dans sa poche. Il considéra le nom sur l'écran lumineux : Chevalet, un ami journaliste sollicité au cours de l'enquête. Orsini soupira et mit en place son oreillette.

— Salut Marcus, fit la voix dans l'écouteur. Alors, tu m'avais promis une histoire !

Orsini pensa aux crimes de Valincourt, puis revit le fils, Gabriel. Son propre enfant n'avait pas eu la chance d'atteindre cet âge.

— Oui, Ludo, finalement, ça n'a rien donné. Une prochaine fois.

Il raccrocha. Le patron du magasin l'observait en souriant et Orsini tendit ses articles. À côté du comptoir, un présentoir exposait un choix de farces et attrapes. Orsini prit un paquet de dragées au poivre. C'était toujours hilarant, les dragées au poivre.

Épilogue

L'ascenseur transportant la commissaire s'arrêta au cinquième étage. Les portes s'écartèrent dans un grincement de machinerie et Capestan découvrit les jambes d'Orsini qui, en équilibre précaire sur un escabeau, suspendait une banderole « Bienvenue » au-dessus de la porte. Il agrippa le chambranle d'une main anxieuse, avant de se retourner brièvement :

— Bonjour commissaire, on vous attendait.

— Bonjour Orsini, répondit Capestan, le visage levé vers le capitaine. On m'attendait pour quoi ?

Orsini avait l'air de vouloir planter une punaise dans du béton avec le pouce.

— Pour préparer la crémaillère.

— La crémaillère ? Et je ne suis pas au courant ?

— Ah.

Embêté, Orsini suça son pouce endolori.

— C'était peut-être une surprise, confessa-t-il. Je ne sais pas, il faudrait voir avec Rosière.

Évidemment que c'était avec Rosière qu'il fallait voir. En entrant dans le salon, Capestan aperçut Évrard et Lewitz affairés autour d'un bureau qu'ils avaient métamorphosé en table de banquet et recouvert d'une nappe en papier à volutes rouges. Des guirlandes égayaient les murs et Dax décorait les fenêtres avec une bombe qui, à en croire l'odeur, était indélébile. Des lampions colorés habillaient désormais les ampoules nues. Le commissariat ressemblait à une école primaire la veille de la kermesse. Capestan entraperçut Torrez qui traversait la cuisine, harnaché d'un tablier Knorr en coton souple. Depuis son sauvetage au carrefour, la brigade semblait tolérer sa proximité. Ils n'allaient pas jusqu'à lui taper dans le dos ou soutenir son regard, mais les cheveux ne se dressaient plus sur son passage.

Fauteuils, bureaux, canapés, tables : les meubles étaient repoussés contre les murs, aménageant un espace propice à la danse. Lebreton achevait de placer les baffles. Quant à Rosière, justement, baudruche verte dans une main, gonfleur dans l'autre, elle philosophait avec Merlot qui, le cul dans son fauteuil, aidait psychologiquement.

— Plutôt mer ou plutôt montagne ! cracha Rosière. Pourquoi imposer un camp ? On peut pas tout prendre, peut-être ? Cette manie qu'ont les gens ! C'est toujours : t'es plutôt Beatles ou Rolling Stones ?

— Pink Floyd ! fit la voix de Dax dans le fond.

— … Hallyday ou Eddy Mitchell ?…

— Sardou ! aboya Dax qui, à défaut de comprendre, avait le mérite de l'enthousiasme.

— Chien ou chat, sucré ou salé, je suis plutôt ci, je suis plutôt ça… Conneries, oui ! Pourquoi pas : t'es plutôt table ou plutôt chaise ? conclut Rosière.

Elle arracha le ballon du gonfleur et noua l'embout d'une main experte. Elle arborait un tailleur-jupe de satin doré qui semblait prêt à finir la nuit au Lido. Son trait d'eye-liner émeraude jouait la redondance sur un regard vert vif qui, pour l'heure, mettait Merlot au défi de répondre. Mais il en fallait plus pour impressionner le cuirassé capitaine, habitué à pérorer du lever au coucher. Lui-même brillait comme un sou neuf, son crâne poli paraissant frotté au Miror.

— Absolument, chère amie ! Le choix, toujours le choix, exactement ce que je disais.

Découragée, Rosière se tourna et avisa Capestan. D'un geste ample du bras, elle désigna le salon et sa décoration de fête.

— Sympa, non ? Des affaires résolues, un coupable chez le juge d'instruction, un nouveau papier peint, on s'est dit…

— On ?

Rosière sourit, faussement contrite, et poursuivit :

— « On » s'est dit que ça se fêtait et que ce commissariat méritait bien qu'on y fasse péter des boutanches. On a eu tort ?

— On a vachement bien fait. On a invité qui ?

— Ben, les flics de la brigade. Mais Buron, par contre, je ne savais pas si tu voudrais le prévenir ?

— Je l'appelle.

Capestan s'isola près de la fenêtre, le regard perdu sur la rue Saint-Denis et ses immeubles de guingois, qui se soutenaient les uns les autres. Rien d'aligné dans cette rue à laquelle il avait manqué un bon orthodontiste. Capestan parla deux minutes avec Buron et raccrocha.

Lebreton s'approcha et, entre deux expirations dans un ballon bleu, il demanda :

— Alors, Valincourt ?

— Avec les aveux signés, Buron a pu le déférer au parquet, répondit Capestan, ça ne nous regarde plus, maintenant.

— Ouais, cria Dax en approchant (Dax criait toujours), sur cette enquête, on a été énormes. Quand je pense aux gars de l'époque qu'avaient trouvé que dalle : pan dans la tête les poulets !

— C'était le dossier de Valincourt, il ne voulait pas vraiment trouver le coupable..., rappela Orsini qui avait rejoint l'attroupement.

— Ouais. N'empêche, insista Dax, content.

Face à la sono, Lewitz faisait défiler un CD. Il laissait éclater les trois premières notes d'un titre, puis passait au suivant en lisant la pochette. Évrard, inconsciemment, esquissait un mouvement sur chaque note, puis stoppait, et recommençait. Elle grimaçait sans parvenir à identifier d'où provenait sa gêne. Elle vint se mêler à la conversation :

— Au fait, pourquoi Valincourt nous a refourgué le dossier Sauzelle ? C'était risqué. Il est joueur, le monsieur.

— Non... Je vérifierai auprès de Buron, mais j'ai dans l'idée que le carton Affaires classées de Valincourt a disparu pendant ses vacances.

Après avoir soufflé de nouveau dans son ballon, Lebreton le fixa avec l'intention manifeste de réduire le tabac, puis revint à la discussion :

— Le fils ?

— Le pauvre, fit Rosière. Il doit le haïr.

— Non, répondit Capestan. Valincourt l'a élevé, et bien, pendant vingt ans. Il croyait agir par sens du devoir, pour préserver son fils. Il traçait sa route, fixé sur son objectif, quitte à commettre quatre meurtres. Il s'est enferré, comme tous les inflexibles. Gabriel ne peut pas le détester, il ne le détestera jamais, mais il est déphasé. Ce matin, il n'était toujours ni en colère, ni en larmes, ni rien du tout. Totalement sonné. Heureusement, sa fiancée ne le quitte pas d'un pouce.

Une vague tristesse passa sur les visages de la brigade et chacun retourna à ses occupations.

*

Trois heures plus tard, il régnait dans le salon un boucan infernal. Dax ne cessait d'augmenter la sono, et Orsini de passer derrière pour la baisser. Rosière et Merlot torpillaient toutes les bouteilles à leur portée, Lebreton conservait précieusement la sienne à côté de son verre. Dans un coin, Torrez triait des CD. En dansant un rock avec Capestan, il s'était luxé le genou gauche, il était ravi. Évrard et Lewitz, littéralement en transe, n'avaient pas quitté la piste sur un seul titre, même quand Torrez avait insisté pour passer Adamo. Capestan regardait Pilou dans la cuisine qui donnait de grands coups de truffe dans sa gamelle en plastique gris. Malgré le caoutchouc antidérapant, l'écuelle butait contre le mur, y creusant une encoche de peinture écaillée. Une fois repu et rafraîchi, le chien trotta vers Rosière, les babines semant des gouttes d'eau sur son passage.

Côte à côte, Buron et Capestan jouaient les piliers de buffet.

— C'est bien vous qui avez subtilisé le dossier de Valincourt ? hurla Capestan pour se faire entendre malgré la musique.

— Oui, articula Buron. Cet échec faisait tache dans sa carrière, j'avais du mal à me l'expliquer.

— Et pour Guénan, comment avez-vous fait le rapprochement ? Il n'était pas sur l'affaire.

— Non, mais il venait de débarquer au 36 et il passait régulièrement en voisin. Quelques années plus tard, quand il a intégré mon équipe, j'ai eu son dossier RH. J'ai vu qu'il avait vécu à Key West la même année que le naufrage. Une coïncidence qu'une âme totalement innocente aurait signalée. Comme, en plus, certaines pièces du dossier avaient disparu…

— En fait, vous le soupçonniez de meurtre et vous l'avez couvert pendant vingt ans.

— Non, pas du tout, tempéra Buron, patelin en diable. Mais je l'avais trouvé négligent. J'ai profité de la création de cette brigade pour éclairer la question. Vous-même, Capestan, vous m'avez bien suspecté dans cette affaire…

— Non, à aucun moment, rétorqua la commissaire.

Son aplomb frisait la raillerie. Un sourire entendu éclaira les bajoues du directeur. Une question continuait de la tarauder :

— Mais pourquoi ne pas l'avoir coincé vous-même ?

— Je ne voulais pas devenir tombeur de flic. J'ai une image à maintenir.

— Alors que moi, ça ne vous dérange pas.

— Beaucoup moins, répondit-il sans le moindre embarras. Dites-moi, Capestan, j'ai reçu un PV pour le brigadier Lewitz, quatre-vingt-dix kilomètres-heure en agglomération…

— … Oui, ce serait gentil de le faire sauter, il n'a presque plus de points…

— … Un excès de vitesse sur une motocrottes ?

— Ça n'existe plus, les motocrottes, c'est une nettoyeuse.

La causerie de Rosière et Merlot, animée comme toujours, leur parvint par-dessus les notes du *Relax* de Mika :

— … rapport à la planète, aux bêtes, à ce que tu veux, j'achète que du bio, du Label rouge, des…

— Tout ceci est fort coûteux, or…

— Justement, je tiens ma place. Si même les riches achètent des cochonneries, faudra pas se plaindre qu'on produise que ça !

— Certes ! Cependant…

— Tu votes à chaque fois que tu payes, dans notre société. Les urnes, on s'en tamponne, c'est le caddie qui compte ! Tiens, à propos, fit-elle en tendant son verre.

Pendant que Merlot versait un quart de la bouteille dans le verre et un dixième sur le tapis, Lebreton intervint :

— Va faire un tour dans deux ou trois dictatures, tu verras si ce ne sont pas les urnes le plus important…

— N'empêche, affirma Rosière en exposant la robe grenat du gigondas, chaque fois que tu bois, chaque fois que tu bouffes, tu votes !

— Et tu es très très citoyenne, fit Lebreton en lui pressant l'épaule.

— Moi par exemple, je…, enchaîna Merlot.

Mais il fut interrompu par Lewitz qui courait tous azimuts en piaffant :

— J'ai gagné, j'ai gagné, j'ai gagné ! Trois en une minute !

À chaque syllabe, il vaporisait de la sciure de biscuit autour de lui. Alors qu'Évrard se rapprochait, Rosière, incrédule, l'attrapa par le bras.

— Il a mangé les trois petits-beurre ?

— Non, des Pim's. Mais il est tellement content que je n'ose pas lui dire que ça ne compte pas.

Capestan saisit un toast au fromage frais sur le buffet, Buron l'imita. Elle évita d'un léger mouvement de tête un ballon jaune qui s'était détaché du plafond et voletait maintenant au ras du sol.

— Donc, dit-elle. Si j'ai bien compris, notre brigade est vouée au règlement de vos comptes personnels.

Une nuance de chagrin alourdit le regard de basset du directeur.

— Non, ce ne sont pas des « comptes ». Alexandre était mon ami, vous savez. Mon devoir était d'enquêter, mais je ne pouvais pas m'y résoudre. Votre brigade est mon entre-deux, Capestan, ma solution intermédiaire. Je n'ai pas créé la ligue « Super Justice », juste une troisième voie insoupçonnable car placardisée. Mais bien construite, ajouta-t-il dans un sourire.

— Vous auriez pu me le dire directement.

— Je n'étais pas encore certain que l'équipe fonctionnerait.

Le ballon avait gagné la piste, où il rebondissait gaiement au milieu des danseurs qui, tous, s'efforçaient de l'épargner. Dax, tout en battant le rythme, tenait un petit bol de dragées dans lequel il piochait régulièrement. Il les croquait à pleines mandibules, grimaçait, puis recommençait, intrigué. Il proposa le bol à Lewitz, avec un haussement d'épaules qui semblait signifier « Bizarres, mais pas mauvaises ».

— Elle fonctionne, affirma Capestan. Et pour que ça continue, je veux au moins une voiture correcte, du respect et de la considération.

— Je peux vous avoir la voiture.

— C'est le principal, fit Capestan en gobant son toast au chèvre frais.

Buron engloutit le sien à son tour et s'essuya les mains dans une serviette en papier à petits cœurs rouges.

— Je sais que vous méritez mieux. Mais avec vos bavures, je ne pouvais pas faire autrement, c'était la seule porte de sortie…

— Ça me va très bien, Buron, coupa la commissaire en observant sa brigade.

Évrard, Dax et Lewitz talonnaient le plafond des voisins du dessous, Torrez claudiquait, le bras en écharpe, Rosière tentait, en vain, de saouler Orsini, Merlot ronflait au milieu des décibels.

Lebreton croisa le regard de Capestan et leva son verre dans sa direction. Elle trinqua en retour.

— Ça me convient parfaitement, conclut-elle.

Couché au pied de Rosière, un bout de babine étalé sur la pointe de son escarpin, Pilou guettait l'air de rien, évaluant les alentours d'une truffe affûtée. Effluves de charcuterie, humains titubants et joyeux, le contexte était prometteur. Il y avait sûrement moyen d'obtenir grattouilles d'oreilles et saucisson.

Pilote commença à étirer un cuissot pour partir en chasse, quand il sentit la main de sa maîtresse lui flatter le flanc. Il se rassit aussitôt et, dans un élan de prescience toute canine, leva le museau vers le grand copain baraqué installé à côté. Celui-ci sourit en lui tendant un morceau de pâté en croûte. Pilou le goba dans un claquement de mâchoires. À domicile on le servait, à domicile.

Les mercis ô grands mercis infiniment merci

Pour avoir permis à ce livre d'exister et par là même avoir changé ma vie, rien de moins :

Merci à Stéfanie Delestré, mon éditrice, sans qui je ne pourrais pas dire et répéter à l'envi « mon éditrice ».

Merci à Patrick Raynal, Grand Seigneur du polar, à qui la brigade ne se remet toujours pas d'avoir plu.

Merci à Albin Michel, ma-maison-d'édition, et ses équipes, ses graphistes, correctrices, attachées de presse, représentants, grands chefs, sans qui les Poulets ne seraient qu'un tas de feuilles en vente chez moi.

Pour leur aide chaleureuse et décisive, merci à mes amies Marie La Fonta et Brigitte Lefebvre.

Parce que sans eux, écrire ne serait pas mon métier, en tout cas pas pareil : merci à Sylvie Overnoy, chef idéale de l'écrivain débutant – parce que écrivain elle-même –, et merci à Sophie Bajos de Heredia, qui a cru en ma candidature, plusieurs fois. Merci aussi au comique en chef Henri Pouradier Duteil et à M. Simonnet, mon professeur de français au collège Jean-Mermoz.

Pour leurs bienveillantes lectures, re-lectures et re-relectures, pour leurs analyses constructives et leurs compliments péremptoires, je ne remercierai jamais assez :

Anne-Isabelle Masfaraud (recordwoman du nombre de lectures, médaille d'or de l'incohérence traquée, championne du discours galvanisant), Dominique Hénaff (grand maître du soutien inconditionnel et du détail pointé), Patrick Hénaff, Marie-Thérèse Leclair, Pierre Hénaff, Brigitte Petit, Isabelle Alves, Chloé Szulzinger et Marie-Ange Guillaume.

Merci à Jean-François Masfaraud, pour son titre adoré *Poulets grillés*.

Merci à Christophe Caupenne, ancien commandant du Raid, pour son aide aussi sympathique que précieuse et merci à Catherine Azzopardi, pour la spontanéité de son initiative.

Pour leurs remarques, leurs encouragements et le temps consacré à la lecture de mon manuscrit, je remercie également Antoine Caro et Lina Pinto.

Et enfin merci à toutes ces bandes d'amis auxquelles j'ai appartenu ou appartiens encore, ces équipes tellement joyeuses qu'elles m'ont donné envie d'en inventer une nouvelle. Par ordre d'apparition : mes copains de Chevrollier, les habitants du Général-Plessier, mes copines du Verre à Soi, la troupe de l'Accessoire, les aventuriers du Coincoinche, les filles de Lyon Poche, les collègues de Cosmo, les pétanqueurs du déjeuner, les accrocs du Perudo, les Masfa de Marsac et mes Sablais de tout temps.

Composition réalisée par Nord Compo

Imprimé en France par CPI
en juillet 2016
N° d'impression : 3018582
Dépôt légal 1re publication : avril 2016
Édition 05 - juillet 2016
LIBRAIRIE GÉNÉRALE FRANÇAISE
21, rue du Montparnasse - 75298 Paris Cedex 06